地藏菩薩本願經淺譯

南無本師釋迦牟尼佛

開經偈

無上甚深微妙法
百千萬劫難遭遇
我今見聞得受持
願解如來真實義

讚地藏菩薩偈

稽首本然淨心地　無盡佛藏大慈尊
南方世界湧香雲　香雨花雲及花雨
寶雨寶雲無數種　爲祥爲瑞徧莊嚴
天人問佛是何因　佛言地藏菩薩至
三世如來同讚歎　十方菩薩共歸依
我今宿植善因緣　稱揚地藏真功德

前言

地藏菩薩本願經是佛說之孝經，乃佛昇忉利天為母宣說，舉地藏久遠因地救母，所發僧那等同佛心，而說此經，以未來天人付地藏於忉利，誠為業海慈航，佛道要門，捨其何歸！其諄諄眾生因果，地獄名相，微遠誠實，良以佛之悲心，特昭地藏本願，為我津渡，無復幽關。仰承遺囑，淨慧達思，若夫眾生度盡，方證菩提，地獄未空，誓不成佛，探玄上士，試終身味之！庶不負我佛說法囑累大士一片悲孝之心，亦則我等報恩之地矣！

地藏本願經者，歷觀前古，受誦尤多，逮至方今，樂聞益眾，為勵幼少同學，共入大士願海，遂忘庸淺，忝而讀翫，輔覽諸師著撰，參以前識，驗以舊聞，鹿得大意，由是將之今譯，並附彩圖，俾生動易讀，或有殊韻，斯承大士之力感被耳。

本書名為淺譯，文圖並用，或曰：猶牧女之添水，將非澆漓於乳味乎，不然，乳益乳也。苟能鑽搖，醍醐可獲，豈仍乳而已耶？臨文誠懼，一章三復，敬慎無違，然聖意深妙，難以曲盡，儻有失當，幸諸博學，正其大謬。

一九八九仲夏慚愧末學吳重德敬識

地藏菩薩本願經淺譯目錄

忉利天宮神通品第一

忉利天即三十三天，位居欲界第二天的須彌山頂上，山頂四邊各有一峰，由金鋼手藥叉神守護。此天中央為善見城，是帝釋住處，城外四苑是諸天眾遊樂之處，城的東北有圓生樹，花香薰遠，城的西南有善法堂，諸天眾群聚於此評論法理。四方各有八城，加中央一城，合為三十三天城。佛母摩耶夫人命終後登入此天，佛乃至忉利天宮為母說法三個月。

須彌山的半腰是四天王天，山頂就是忉利天。此天四面各為八萬由旬（每由旬約四十里）。釋提桓因住在中央的善見城，此城周圍四萬十千由旬，純由黃金所造；城的四面為千門樓，城的中央還有一重金城，共五百道城門，門都是以種種珍寶嚴飾；城中央有寶樓重閣，為琉璃眾寶所成。

有一天，釋迦牟尼佛來到忉利天宮，為母親摩耶夫人說法。

就在此時，十方無量世界有數不清的佛和大菩薩，知道釋迦牟尼佛要在忉利天宮為母說法，所以都來到忉利天宮集會。

十方佛菩薩讚歎釋迦牟尼佛——能於五濁惡世現出不可思議的大智慧神通力，調伏習性剛強難化的眾生，令其知道一切因果苦樂解脫的圓滿之法。

那時，如來含笑，放百千萬億大光明雲及種種微妙之音。

此時，娑婆世界及他方國土有無量億天龍鬼神都集到忉利天宮。

這時，釋迦牟尼佛告訴文殊師利菩薩說：「文殊師利！你觀今日來到忉利天的一切諸佛菩薩和天龍鬼神，你知道共有多少嗎？」

文殊師利菩薩回答佛說：「世尊！若以我的神通力經過千劫長久時間的測算，也不能知道這數目。」

佛告訴文殊師利菩薩說：「即使我以佛眼來觀看，還看不完。這都是地藏菩薩從久遠劫以來已經度的、應當度的、尚未度的眾生，也就是已修成的、應當修成的、尚未修成的眾生。」

文殊師利菩薩對佛說：「世尊！我已久修善根，證達無礙的智慧，所以聞佛所言，能立即相信，但是一般眾生必定仍會懷疑佛誠實之言，為免眾生毀謗，祈請世尊廣說地藏菩薩在因地作何願行而能成就不可思議的事？」

佛告訴文殊師利菩薩說：「譬如三千大千世界裡所有的草木、叢林、稻麻、竹葦、山石、微塵，每一物都比喻為一條恆河，每一粒恆河沙又比喻為一個世界，每一個世界內的每個微塵又比喻為一劫，每一劫所積的微塵數目，再全把它比喻為劫數，地藏菩薩證得十地果位到現在，已超過千倍以上所比喻的數目，何況地藏菩薩在聲聞、緣覺時，已聞佛法開始修行！」

「文殊師利！這位地藏菩薩的威神力和誓願都是不可思議的。如果在未來世，有善男子或善女人，聽到地藏菩薩的名字，或者讚歎，或者禮拜，或者稱念地藏菩薩的名字，或者用香油燈幡來供養，乃至彩畫、木刻、金鑄或泥塑地藏菩薩的形像，此人必能往生三十三天百次而永不墮於惡道。」

「文殊師利！這位地藏大菩薩早在非常久遠以前就是一位富貴的大長者的兒子。」

「當時有一位佛，名為師子奮迅具足萬行如來，那時這位長者子見了佛的相好莊嚴，因而問佛說：『您是作何行願，而得到如此圓滿福德的莊嚴法相？』這時師子奮迅具足萬行如來告訴長者子說：『你欲證得此身，當須久遠度脫一切受苦眾生。』」

「文殊師利！長者子聽完佛說的話，在當時就發願說：『我從今起，盡未來際，要為犯罪受苦的六道眾生廣設種種的方便法，令他們全部解脫罪業，離苦得樂，如此我才願成佛道。』因此，他就在師子奮迅具足萬行如來的面前立下這個誓願。到如今已經過百千萬億數不清的劫數，為普度眾生，他仍舊為菩薩，還不肯成佛。」

「又在過去無數劫以前，那時世上有佛，名為覺華定自在王如來，此佛的壽命有四百千萬億阿僧祇劫。」

「此佛的像法時中，有一位宿福深厚且受眾人敬佩的婆羅門女，在行住坐臥時，有諸天神來護衛，但是她的母親信了邪道，常輕慢佛法僧三寶。那時，婆羅門女廣說許多方便法門，來勸導母親使其生起正見信佛。但是她的母親在尚未全信時，即已命終，神魂墮到無間地獄裡。」

「當時，婆羅門女知道母親生前不相信因果，死後必定會隨業生往惡道。為了挽救母親，婆羅門女不惜賣掉家產，到處尋買供養佛的香花和供具，然後來到覺華定自在王佛塔寺內，大舉供養三寶。後來，她到一寺院中看見覺華定自在王佛威德莊嚴的形像，那時，她就前去瞻仰禮拜佛像，而內心加倍的深生敬仰。婆羅門女暗自思念的說：『佛的名號為大覺者，具足一切圓滿的智慧，假如佛還在世上，我母親雖已死去，若來請問於佛，他一定會知道母親現在往生到那裡。』」

「這時候，婆羅門女暗自哭泣很久，而且依依不捨的瞻望著如來。」

「忽然間，空中傳來聲音說：『聖女！你不要太悲哀，我現在告訴你母親的去處。』婆羅門女合掌對著空中說：『是那一位神德來安慰我？我自從失去母親以後，日夜想念，不知要到那裡去問，才能知道母親生往何處。』這時，空中又傳來聲音告訴聖女說：『我就是妳所瞻仰禮拜的過去覺華定自在王如來，我看到妳想念母親，加倍於一般常人，所以來告示妳母親現在所生的地方。』」

「婆羅門女聽了佛的聲音，高興的向空中撲去，而跌傷節骨暈了過去，經過左右侍女扶起，很久才醒來。她又對空中說：『願佛慈愍，告知母親的生處，我這個身體不久也將死去。』」

「這時，覺華定自在王如來又告訴聖女說：『妳供養完後，早點回家，端坐思惟我覺華定自在王如來的名號，這樣妳就能知道母親的所生去處。』」

「婆羅門女回家後，因為想念母親的緣故，所以端坐念覺華定自在王如來的名號，經過一日一夜。」

「忽然間她覺得自己來到一個海邊，那海水滾燙，有許多鐵身的惡獸在海上到處飛奔。她看見有百千萬多的人，出沒在海中而被許多惡獸爭相咬食。又看到許多形狀怪異的夜叉，在追趕著那些罪人，或者這些夜叉自己互相殘殺，如此多的慘狀，令人不敢久看。」

「此時，婆羅門女因為念著覺華定自在王如來的名號，自然沒有恐懼。」

「有一位名叫無毒的鬼王前來向婆羅門女問訊，他說：『善哉！這位菩薩是什麼原因會來到這裡？』婆羅門女問鬼王說：『這是什麼地方？』無毒鬼王回答說：『這是大鐵圍山，西面的第一重海。』」

「聖女又問：『我聽說在鐵圍山的內面，地獄在其中，這是真的嗎？』無毒回答說：『實在有地獄。』聖女又問：『我現在為什麼會到這地獄來？』無毒答說：『如果不是威神力，就是因業力，才能到這地獄來。』」

「聖女又問：『這海水為何滾燙？又為何有這麼多的罪人和兇惡的猛獸？』」

「無毒答說：『這都是在閻浮提世界作惡的人，死後四十九天內，無人為他做功德，救拔苦難；而且在生時又未修善，所以就依他在生時所造的惡業，感召受報的地獄，而要到地獄去，途中則必先渡過這個大苦海。』」

『這個海的東面經過十萬由旬，又有一個大海，它的苦加倍於這裡；那個大海的東面，還有一個大海，它的苦又更加一倍。這都是由眾生三業惡因所招感成的，這些地方就是業海。』

「聖女又問說：『那麼地獄究竟是在什麼地方？』無毒答說：『在這三重海的裡面，就是大地獄。』」

『在每個地獄裡，又有許多的小地獄，較大的有十八層地獄，其次有五百重小地獄，再其次有千百重小地獄，在每一個地獄都是受著無量的苦。』

「聖女又說：『我母親生前因為邪見，譏笑毀謗三寶，不知道她死後神魂投往何處？』無毒又問聖女母親的姓氏等等，聖女答說：『我的父母都是婆羅門種族，父親叫尸羅善現，母親叫悅帝利。』」

「無毒合掌回答說：『請聖者回去，不必憂愁悲哀。悅帝利罪女在三天前已經升天了，說是承孝子為她設供修福，布施覺華定自在王如來塔寺，而解脫地獄的痛苦。』」

『在同時，無間地獄裡的罪人，也在那一天仗著孝子救親施福的恩澤，都一起升天享樂去了。』無毒鬼王在說完話後，很恭敬的合掌而退下。」

「婆羅門女不久如夢醒來，明白事實後，便於覺華定自在王如來的塔像前，立下弘大的誓願說：『願我盡未來時，為所有造罪受苦的眾生，廣設種種的方便，全令他們都離苦得樂。』」

這時，佛又告訴文殊師利菩薩說：「當時那位無毒鬼王，就是現在的財首菩薩。

那位孝順的婆羅門女，就是這位地藏菩薩。」

分身集會品第二

這時，在無量世界與所有地獄的分身地藏菩薩都來到忉利天宮。

因如來威神力的緣故，感召來各方的菩薩與無數已解脫的眾生，大家都持著香花來供養佛。同來的這些眾生，都是蒙地藏菩薩的教化，已不退轉於無上正等正覺。這些眾生自從久遠以來，一直在六道生死輪迴，如今因為蒙受地藏菩薩大慈大悲的深宏誓願所救度，所以每位都已證得果位，現在都很歡喜的來到忉利天宮，他們很恭敬的集中目光，目不捨離的瞻仰佛。

這時，世尊伸出紫金手臂，以威神力徧摩所有無量分身地藏大菩薩的頭頂，而說：「我在五濁惡世教化剛強頑固的眾生，令他們去惡行善，捨邪歸正，但是十個之中，還是有一兩個惡習不改。我也分無量化身，對於各種不同根性的眾生，用種種方便的方法去救度他們，令他們離苦得樂。」

「或者我現男人身，或者現女人身來救度他們，或者現天龍身、神王身、鬼王身，或者現山林川原、河池泉井來利益救度他們。

或者現天帝身、梵王身、轉輪王身、居士身、國王身、宰輔身、官屬身、比丘、比丘尼、優婆塞、優婆夷，乃至聲聞羅漢、辟支佛、菩薩等身來化度他們，並非只以佛身度化他們。」

佛說：「地藏菩薩！你看我從無量劫以來勤勞辛苦的度化剛強頑固的罪苦眾生，對於尚未度化調伏的眾生，如果隨業墮於惡道受大苦報時，你當記得我在忉利天宮再三的囑咐你，要你令娑婆世界直到彌勒菩薩出世以來的眾生都得解脫，永離罪苦，見佛聞法，得佛授記。」

這時，所有世界的分身地藏菩薩合為一身，涕淚哀戀的告訴佛說：「我從久遠以來，蒙佛接引教導，令我得到不可思議的神力和大智慧。我現在分身遍滿無量世界，度化無量的眾生，令他們都歸依三寶，永離生死。

縱使是少修善事的眾生，我都漸漸的救度他們，使他獲得很大的利益。願請世尊不要為後世的惡業眾生而憂慮。」地藏菩薩如是說了三次。這時，佛讚歎的說：「非常好！你能成就久遠劫來所發的誓願，度盡眾生而證得菩提。」

觀眾生業緣品第三

這時，釋迦牟尼佛的母親摩耶夫人恭敬合掌，問地藏菩薩說：「聖者！閻浮提眾生所造的罪業個個不同，將會受到何種報應？」地藏菩薩答說：「千萬世界有的有地獄、有的沒有；有的有女人，有的沒有；有的有佛法，有的沒有；地獄罪報也並非都是一樣的。」摩耶夫人又問說：「我願聽聽閻浮提世界的犯罪眾生，所招感的惡報是什麼？」

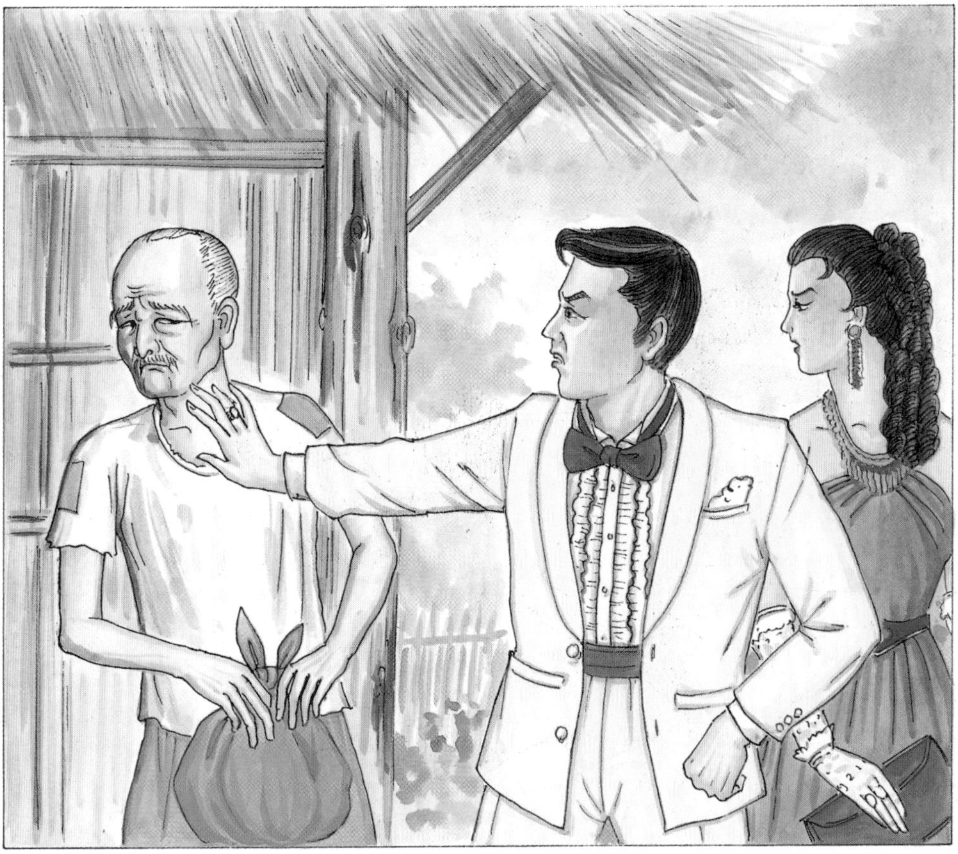

地藏菩薩告訴佛母說：「在南閻浮提所受的罪報是這樣的：若有眾生不孝乃至殺害父母，當墮無間地獄，經過千萬億劫而無法出離地獄。

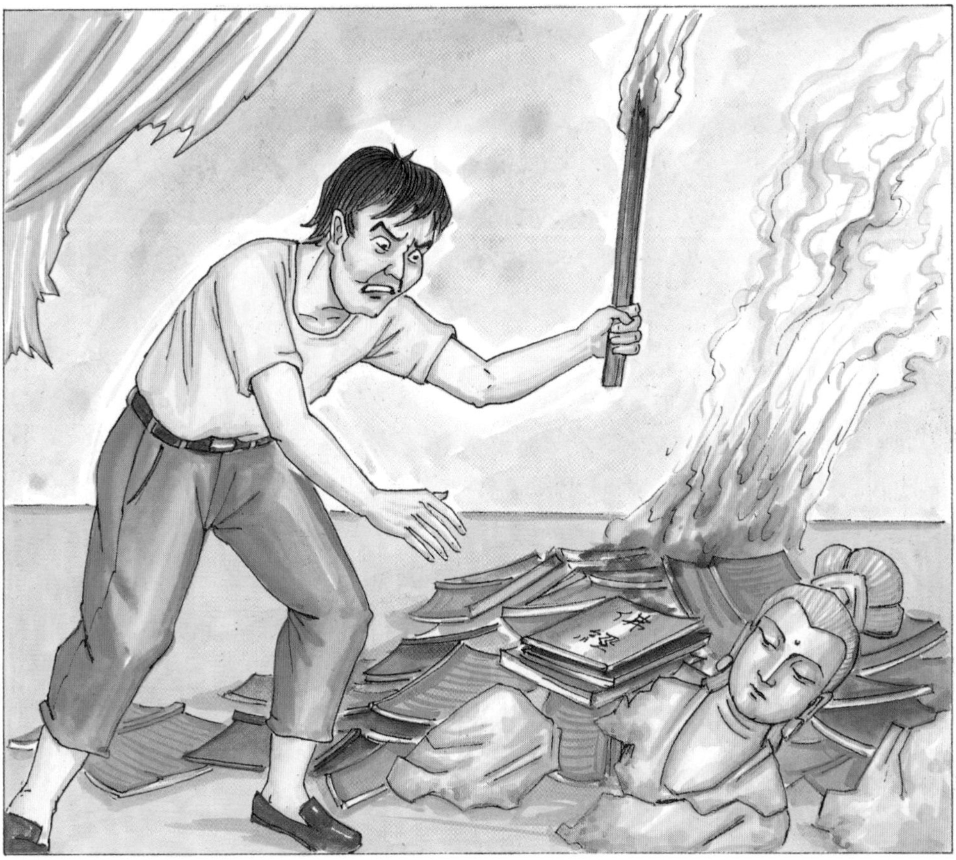

若有眾生出佛身血，毀謗三寶，不恭敬佛經，亦當墮於無間地獄，經過千萬億劫仍不能出離地獄。

若有眾生侵損僧眾常住的地方，破壞僧尼令使不守戒律，或在寺院恣意行淫，或是殺害生命，像這樣的人，當墮於無間地獄而無法出離。

若有眾生假扮沙門，但心不修行持戒，糟蹋常住的東西，且又欺騙在家人，身亦破戒，像這種人亦當墮於無間地獄而無法出離。

若有眾生偷竊常住的財物、穀米、飲食、衣服乃至一物並非經過主人所給與的，這也當墮於無間地獄，經千萬億劫而無法出離。」

地藏菩薩告訴佛母摩耶夫人說：「若有眾生作了如以上五種的罪業，應當墮於無間地獄，要求暫停受苦，就是轉念的瞬間，也不可能。」

摩耶夫人又問地藏菩薩說：「那些地獄為何名為無間地獄？」地藏菩薩說：「聖母！所有的地獄都在大鐵圍山的裡面。

其中有十八所大地獄，還有五百所次等的地獄，另外還有千百所再次一等的地獄，這些地獄的名稱都不一樣。」

「說到無間地獄，這個獄城的周圍有八萬多里，高一萬里，全是用鐵造成的，城上全是猛火熾聚。獄城裡面，每個地獄都連在一起，名稱各不相同，其中只有一處叫做無間地獄，這個無間地獄的周圍有一萬八千里，牆高一千里，全是用鐵造成。城下有火燒到城上，在獄牆上還有鐵蛇鐵狗口吐大火在牆上專門追逐罪人，令罪人無所逃避。」

「在獄中有個偏滿萬里的大床，若一個人受罪，可自見身體變成萬里大的偏臥滿床，若千萬人受罪，也同樣能各見其身偏臥滿床，這就是所造的眾業而招惹的果報。

還有許多罪人將受眾苦。有千百個夜叉惡鬼口牙如劍，眼如電光，手如銅爪的拖扯著罪人。

又有夜叉拿著大鐵戟，拋擲中罪人的身體、口鼻或腹部，再用鐵戟將罪人拋到空中後，又用鐵戟刺接回來，或把罪人拉到鐵床上。

有鐵鷹啄著罪人的眼睛，鐵蛇纏著罪人的頸。

身體所有的肢節都被釘在長釘上，舌頭被拔出來，用鐵犁耕它，有的腸被抽出來剉斬。

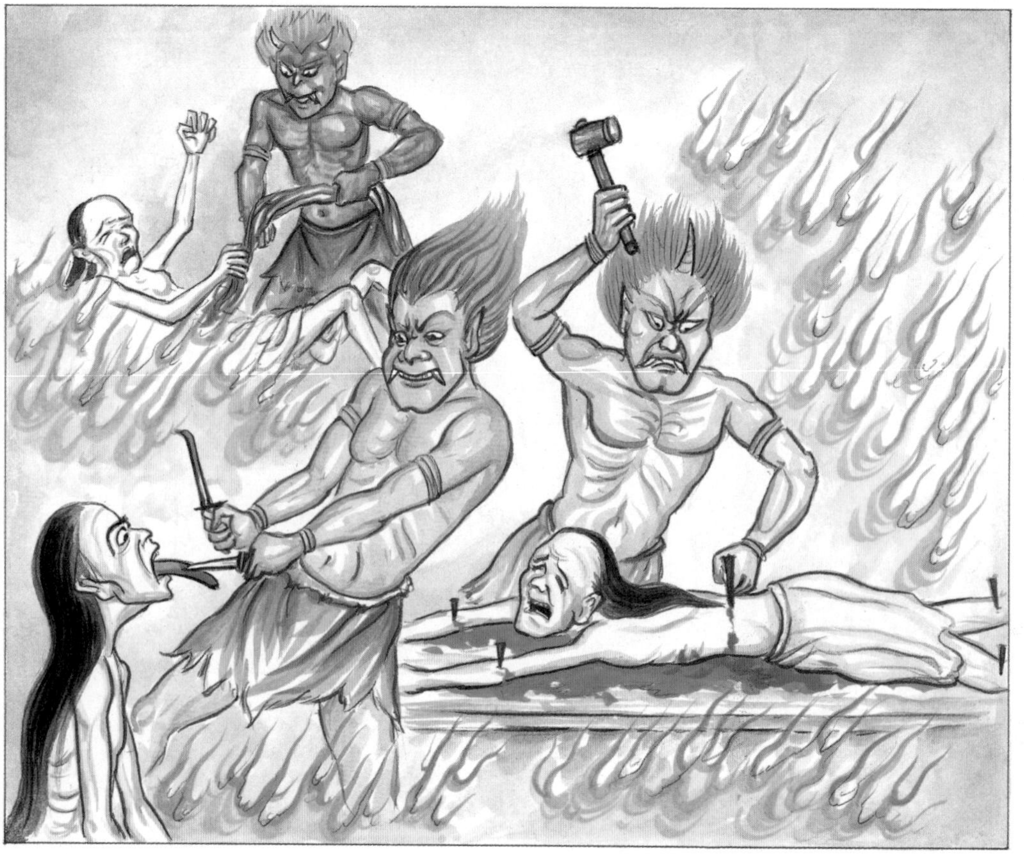

有的被滾燙的銅汁從口灌下，有的被燒紅的鐵纏縛身體，痛得罪人死去又活來，千萬次的反覆著，這都是罪人作惡造業所感招的苦報。

這些罪人雖經過千萬億劫的受苦，仍然不能出離地獄。直到這個世界壞了，再又寄生到另一個世界受苦，一直這樣的輾轉相寄，這就是無間地獄的罪報。又因這是由五種事業而感招的，所以叫做無間（沒有休息間斷）。

所謂的五種無間即：第一是日夜都要受罪報而沒有一刻停止。第二是當一個人受罪或同與千萬人受罪報時，他的身體都徧臥滿床。

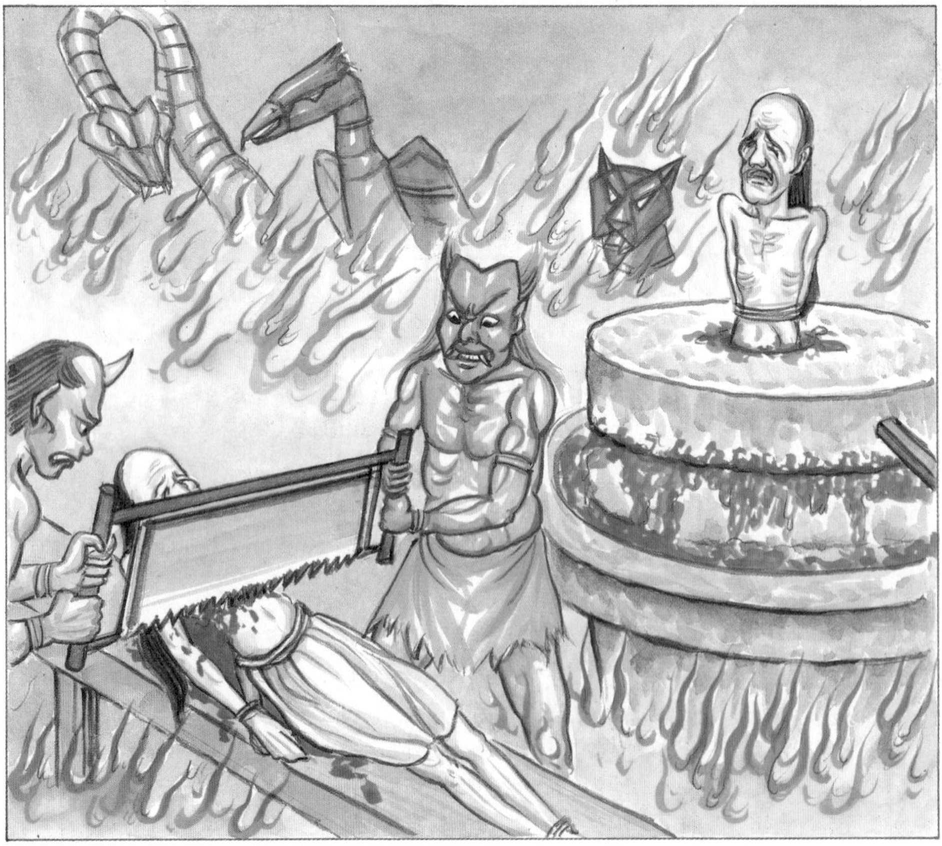

第三是刑罰罪人的器具都很齊備。像刺人的叉，打人的棒，咬人的鷹、蛇、狼、犬，都是鐵做的。有用來磨罪人的碓臼和鋸罪人的刀。

有穿鑿罪人的心肝肺腑，剉削罪人的皮，有用大斧頭砍罪人的頭，再將罪人丟下大鐵鍋煮，或用鐵網來燒烤罪人。

有用火熱的鐵馬踐踏罪人，再用滾燙的鐵汁澆罪人的身體，罪人饑餓時，令他吞下熱鐵丸，口渴時，令他飲熱鐵汁，如此痛苦沒有間斷。

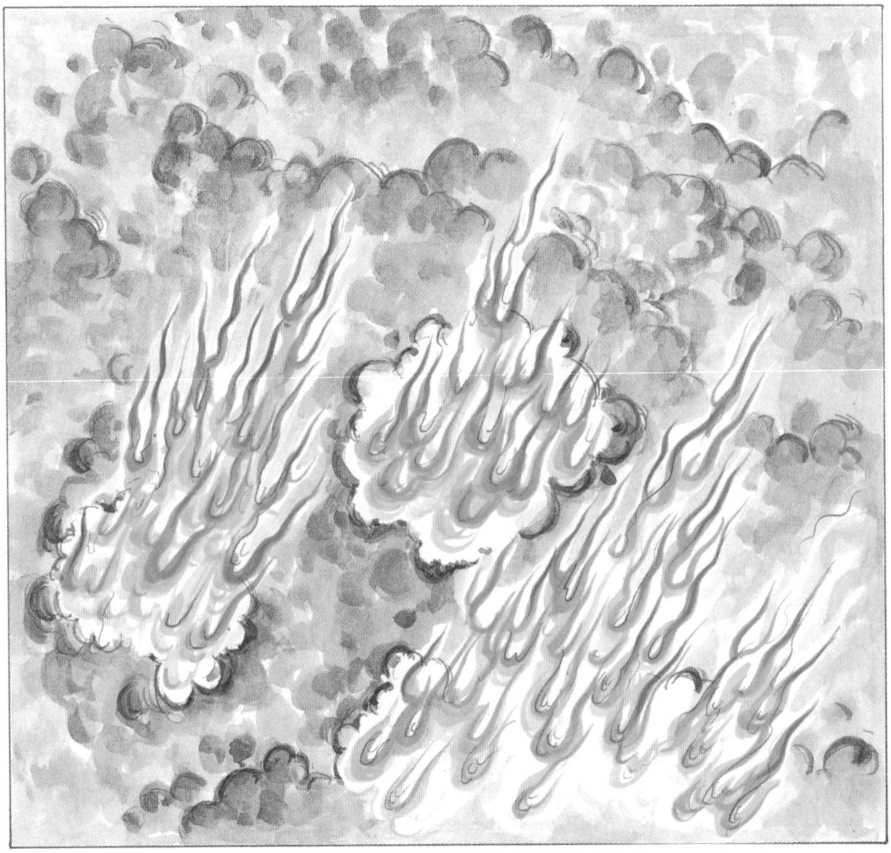

第四是不分男女老幼貴賤或天龍神鬼等，若有造罪感招，都要受此苦報。第五是在無間地獄，日夜都經過萬生萬死，連轉念瞬間的休息都不能，除非業報已受盡，才能投生。

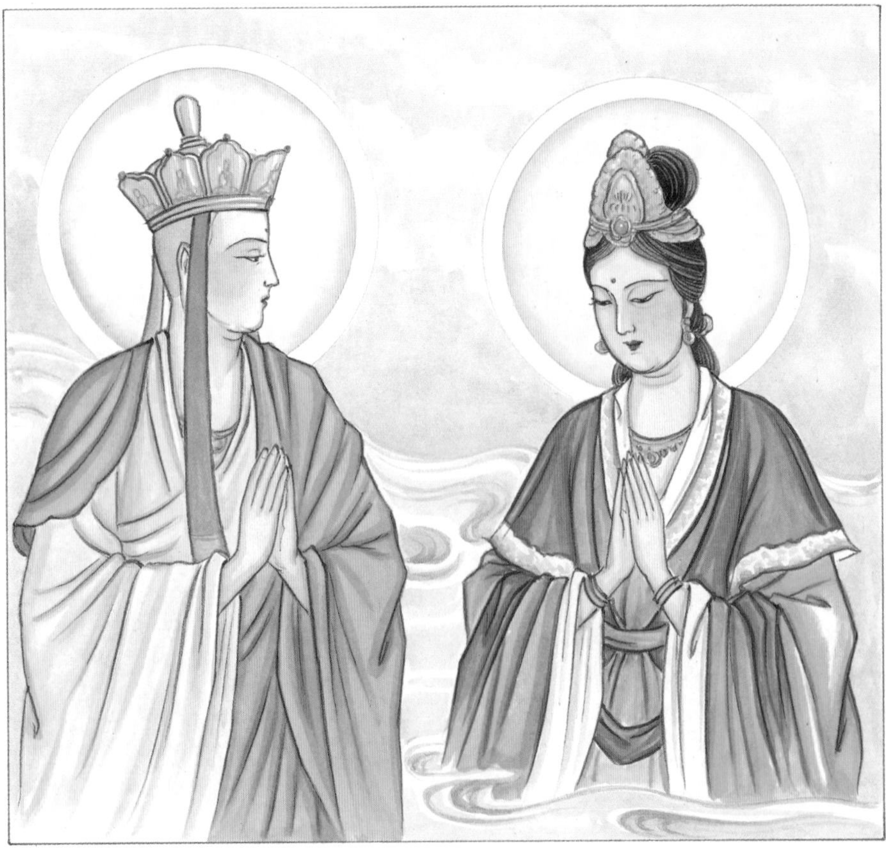

無間地獄大概就是這樣，如果要廣泛詳細的說明地獄裡的一切，即使一劫的時間也說不完。」摩耶夫人聽完地藏菩薩的話，悲嘆自己不能援救那些受苦的罪人，乃合掌頂禮退回本位。

閻浮眾生業感品第四

這時，地藏菩薩告訴佛說：「世尊！我因仰仗如來的大威神力，所以才能分身到百千萬億世界，救度一切受業報苦難的眾生。如果不是因為如來的大慈力，我也不能如此的分身變化。我現在又承蒙佛的吩咐，直到阿逸多菩薩（彌勒菩薩）成佛已來，遣令我救度在六道裡輪迴的眾生，令他們都脫離苦難。是的！世尊！我一定奉行您的意旨，但願世尊不必憂慮。」

這時，佛告訴地藏菩薩說：「一切尚未解脫的眾生，心性不定，都是隨境緣造業，因此一直在五道中生死輪迴而沒有停止；他們經過無數劫長久的迷惑暗障，就像魚游入網，而誤以為是在流水中，或有剛剛脫離網羅的，但轉瞬間卻又落入網中而無法解脫，這些剛強難化的眾生是我所憂慮的。但是你將要完成久遠以來度脫這些罪苦眾生的誓願，我還有什麼憂愁？」

佛說這些話時，會中有一位定自在王大菩薩對佛說：「世尊！我現在很願意聽聽地藏菩薩累劫以來，在多生中各發過什麼願？承蒙世尊在會中再三的讚歎地藏菩薩，很希望世尊大約的為我們說一說。」

這時，佛告訴定自在王菩薩說：「你們注意聽！好好的思惟憶念，我當為你們分別解說。」

「在過去無量劫久遠以前，那時有一位佛，名為一切智成就如來，此佛壽命長六萬劫，他在未出家前，曾做過小國的國王。

他和鄰國的國王是好朋友，二人一同修持十善淨行，來利益當時的眾生。

由於他們的鄰國人民常造惡業，因此兩位國王就研究決議，廣設方便令眾生去惡行善的方法。一位國王發願說：『願我早成佛道，來度脫這些造業的人民都能成佛，沒有留下一個。』

另一位國王發願說：『假如我不先度盡所有造罪受苦的眾生，令他們都能安樂而成佛道，我就不願意成佛。』」

佛告訴定自在王菩薩說：「當時一位國王發願要早成佛的，就是一切智成就如來。另一位國王發願要先度盡罪苦眾生，不願先成佛的，即現在的地藏菩薩。」

「又在過去無量劫久遠前，那時有一位佛出世，名為清淨蓮華目如來，此佛的壽命長四十劫。

在清淨蓮華目如來的像法時，有位證果的阿羅漢，他常受眾生供養，種植福報，而且還因緣次第緣教化眾生。

某天，他接受一位名叫光目的女人設食供養，羅漢問她希望求些什麼？光目女答說：『我在母親死亡之日，設齋供養，出資為母親修福救拔罪苦，但是不知道母親現在投生到那裡？』

羅漢很憐愍光目女，乃為她靜坐入定觀察，看見她的母親墮落到惡道中，受著極大的苦報。羅漢問她說：『你母親生前做過什麼事？今在惡道受著大苦報。』

光目女答說：『我母親生前愛吃魚鼈之類，並且多數是吃魚子，為滿足口腹而恣意的炒煮宰殺，請尊者慈愍救助。』

羅漢同情的為她想出一個方便的方法說：『你可以至誠的念清淨蓮華目如來的名號，並且塑畫此佛的形像，這樣做可使活的或已死的人都得到善報。』

光目女一聽完話後，即刻賣掉她所愛的東西，請人來塑畫佛像，而恭敬的供養，又以非常恭敬的心，悲泣的瞻仰禮拜佛像。

忽然在夜晚，光目女夢見佛身金光照耀，高大如須彌山，放出大光明的對她說：『你母親不久當投生到你家，嬰兒才曉得饑寒時，就會說話。』

後來光目女家內的婢女生了一個孩子，還不到三天就會說話。這嬰兒稽首悲泣的對光目女說：『我就是你已死的母親。所有造業的

生死果報，都由各人自作自受。自從離別以後，我一直墮在冥暗的地獄受苦，承蒙你念佛的功德，我才能投生到這裡做下賤人，並且很短命，只能活十三歲，死後又要墮到惡道去受苦。你有什麼辦法可令我解脫罪業，免再受苦？』光目女聽完婢子說的話，知道這婢女的孩子是她母親，便哽咽悲泣的對婢子說：『你既然是我母親，應該知道曾做過什麼罪業，才會墮到惡道裡？』婢子答說：『我是因為殺害和毀罵二業而感受苦報的，若不是你孝順的為我修福，來救度我的苦難，我這麼重的罪業，怎能解脫？』

光目女問地獄罪報是怎樣？婢子答說：『那百千年也說不完，我不忍再提起。』光目女聽完話後，對空中哭泣的說：『願我母親永離地獄，活到十三歲以後，不再有重罪而墮入地獄。

十方諸佛慈悲憐愍我！聽我為母親發的廣大誓願。若我母親永遠脫離三惡道和卑賤，並且永遠不再受生女身；我從今以後至百千萬億劫中，誓願救度所有世界、地獄、惡道中的所有罪苦眾生，令他們都成佛後，我才願成正覺。』

光目女發完願後，聽到清淨蓮華目如來告訴她說：『光目！你大慈悲，能為母親發這麼大的誓願。我觀你母親十三歲後，將捨此報身，投生為梵志而享壽百歲；受完此報後，又投生無憂國土，壽長無法計算；後來成佛，廣度無量的眾生。』」

佛告訴定自在王菩薩說：「在那時候，福度光目女的羅漢，就是現在的無盡意菩薩。」

「光目女的母親就是現在的解脫菩薩，而光目女就是現在這位地藏菩薩。地藏菩薩從過去久遠劫以來，如此慈悲的發無量大願，廣度一切眾生。」

「在未來世，若有人不行善而只會造惡，乃至不信因果、邪淫、妄語、兩舌、惡口、毀謗大乘經典，這些造業的眾生，死後必墮落三惡道裡去。」

但是若遇到善知識勸導指點，即使是在剎那間發起恭敬心，歸依了地藏菩薩，這些罪業眾生即能解脫三惡道的苦報。

若能恭敬禮拜讚歎，以香花、食品或種種珍寶來供養地藏菩薩，此人在未來百千萬億劫中，常在天上受勝妙樂。若天福享盡，投生人間，還能夠在百千劫中常做帝王，並且仍能清楚的記憶他前幾世的因果命運。

定自在王！地藏菩薩有如此不可思議的大威神力廣利眾生，你們諸位大菩薩應當記住這部地藏經，並且廣大的宣揚流傳。」

定自在王菩薩對佛說：「世尊！請勿掛慮！我們必能承佛威神力，廣說此經於閻浮提世界，利益眾生。」定自在王菩薩說完後，恭敬合掌，頂禮而退。

這時，四大天王都從座位站起來，合掌恭敬的對佛說：「世尊！地藏菩薩從久遠劫以來發了如此大願，為何至今還未度完眾生，現在又再發這麼廣大的誓願？請世尊為我們解說。」佛告訴四大天王說：「很好！這對你們和所有未來的眾生都有廣大的利益，我現在為你們解說地藏菩薩在娑婆世界的南閻浮提中，慈悲救度一切罪苦眾生，所用的種種方便的方法。」

佛告訴四大天王說：「地藏菩薩從久遠劫以來，已經度脫無量因罪報受苦的眾生，但是仍還沒有完畢他累劫以來所發的大願，這是因為他慈愍這個世界的罪苦眾生。他觀察到在未來的無量劫中，這些眾生的業因罪報一樣牽連不斷，所以才又發出重大的誓願來救度眾生。因此，地藏菩薩在娑婆世界的閻浮提中，現出百千萬億的方便，隨機化身而來教化救度眾生。

地藏菩薩若遇到殺生的人，就對他說：『你不要再殺生了，否則將來必受短命的報應。』

若遇到竊盜的人，就對他說：『你不要再竊盜了，否則將來必受既窮又苦的報應。』

若遇到邪淫的人，就對他說：『你不要再邪淫了，否則將來必受投生雀鴿鴛鴦的果報。』

若遇到惡口罵人的人，就對他說：『你不要再罵人，否則將來必受眷屬互相爭鬥的報應。』

若遇到喜好毀謗的人，就對他說：『你不要再毀謗了，否則將受啞巴或口上生瘡的報應。』

若遇到瞋恨心重的人，就對他說：『你不要瞋恨了，否則將受生得很醜並且殘廢的報應。』

若遇到慳吝的人，就對他說：『你不要慳貪吝嗇，否則將來所求皆不能償心滿願。』

若遇到飲食沒有節制的人，就對他說：『飲食應該節制，否則將受饑渴、咽喉病的報應。』

若遇到打獵縱情的人，就對他說：『不要打獵了，否則將來必受驚嚇恐怖喪命的果報。』

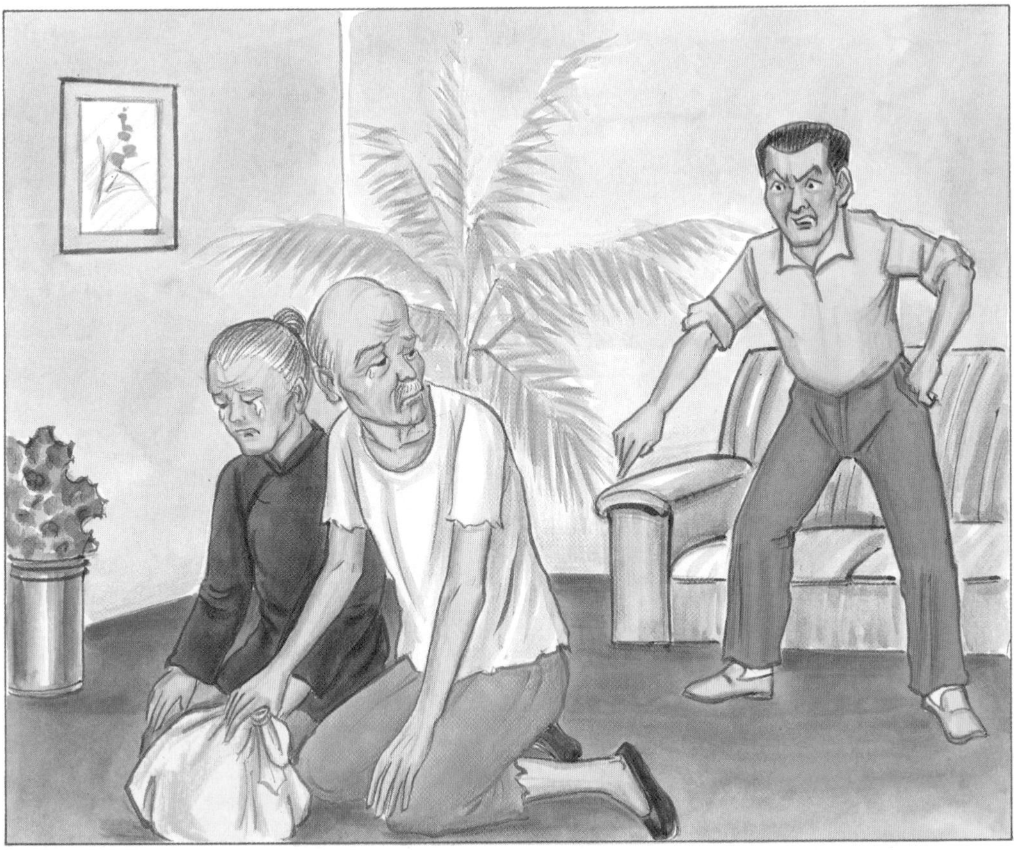

若遇到不孝順父母的人，就對他說：『要孝順父母，否則必受天誅地滅水火天災的報應。』

若遇到火燒山林的人，就對他說：『不要放火燒山林，否則將來必受癲狂自殺的果報。』

若遇到繼父母虐待非親生兒女，就對他說：『不要這樣，否則將來投生必受鞭打的報應。』

若遇到用網捕捉魚、鳥的人，就對他說：『不要捕捉魚鳥，否則將受骨肉分離的果報。』

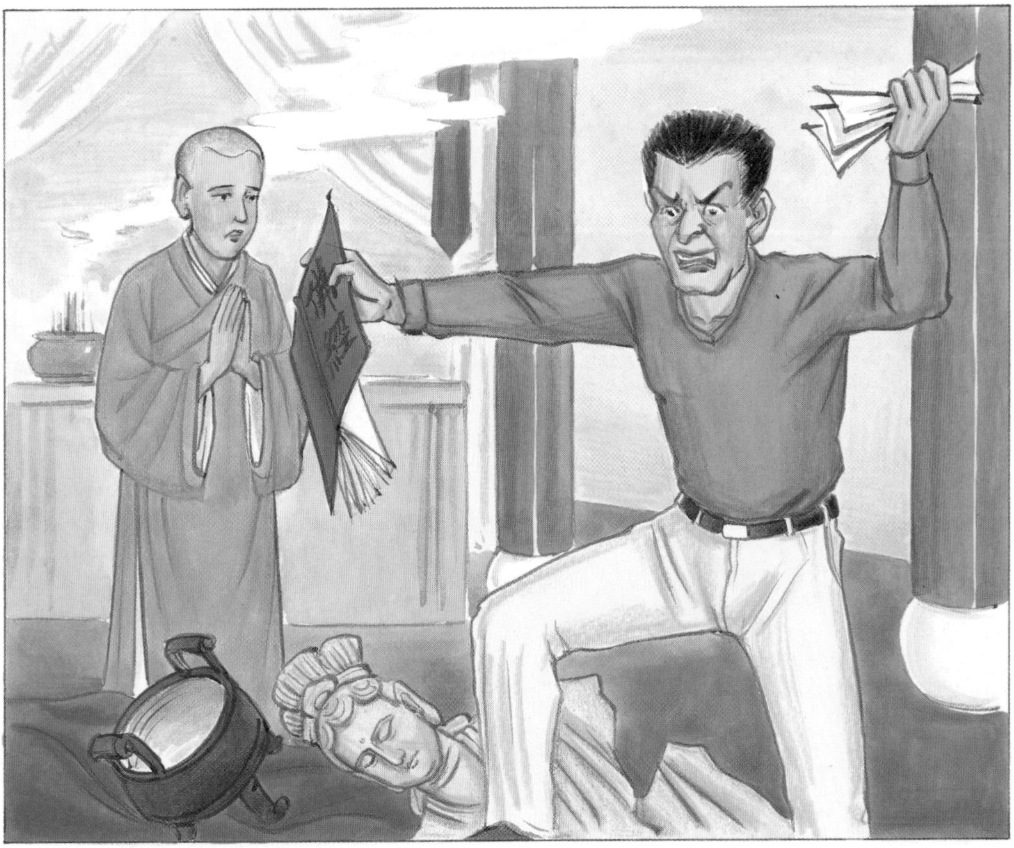

若遇到毀謗三寶的人，就對他說：『不要毀謗三寶，否則將受瞎子、聾子、啞吧的果報。』

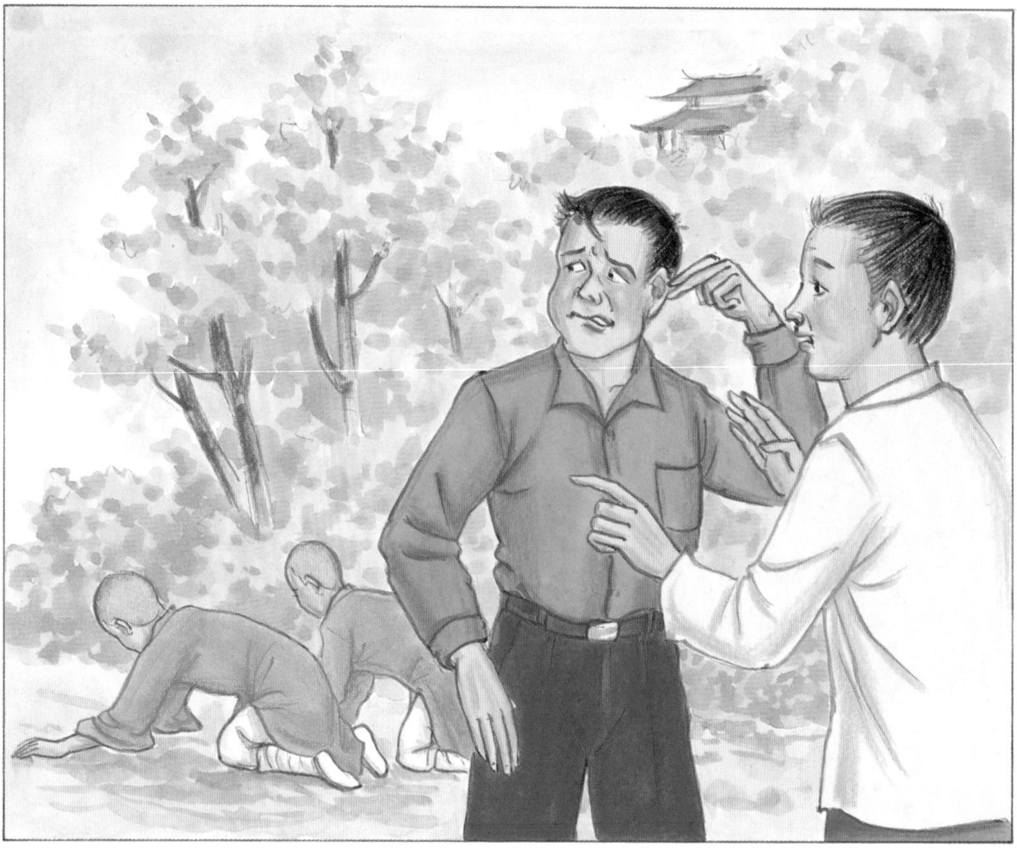

若遇到輕慢佛法的人，就對他說：『不要輕慢佛法，否則將來必受永墮三惡道的報應。』

若遇到破壞常住財物的人，就對他說：『不要這樣，否則將必受無量劫輪迴地獄的苦報。』

若遇到汙瀆或冤枉出家眾的人，就對他說：『不要這樣，否則將必受永遠做畜生的果報。』

若遇到用滾湯猛火或刀斬傷害眾生的人，就對他說：『不要這樣，否則將受同樣的報應。』

若遇到破戒破齋吃葷的不修行者，就對他說：『不要這樣，否則將必受禽獸飢餓的果報。』

若遇到無理毀壞亂用東西的人，就對他說：『不要這樣，否則將受貧乏而求不得的果報。』

若遇到貢高我慢的人，就對他說：『你不要貢高我慢，否則將來必受卑賤下使的果報。』

若遇到搬弄是非，挑撥離間的人，就對他說：「不要這樣，否則將受無舌或百舌的報應。」

若遇到知見不正的人，就對他說：『知見不要違背正理，否則將受投生蠻荒之地的果報。』

以上是大概的說明，閻浮提眾生所造的惡業，和所受的各種報應。像這類眾生的業感果報各有不同，地藏菩薩是用盡所有方法教化他們。

這些造業的眾生在受完以上所說的果報，隨後還要墮入地獄，經過無量劫後，仍然無法出離地獄。因此，你們要好好的保護眾生和國土，不要讓這類被罪業迷惑的眾生，再任意的去作惡造業。」四大天王聽了佛的叮嚀後，都悲嘆的流淚，恭敬的合掌退下。

地獄名號品第五

這時，普賢大菩薩對地藏菩薩說：「仁者！請您為天、龍、四大天王和現在、將來的一切眾生，演說娑婆世界和南閻浮提的罪苦眾生，所受報應的地方，和各種地獄的名稱，以及造惡受報等情形，好使未來世未聞佛法的眾生，知道有這樣的果報而引以戒勵。」地藏菩薩答說：「我今仰承佛的威神力和大士您的力量，大概的說一說地獄名稱，和罪報惡報的情況。」

「仁者！在閻浮提的東方有座黑暗無光的鐵圍山，山裡有個大地獄，名叫極無間；極無間地獄裡有一重大地獄，名叫大阿鼻；在大阿鼻地獄裡，又有四角、飛刀、火箭、夾山、通槍、鐵車、鐵牀、鐵牛、鐵衣、千刃、鐵驢、烊銅、抱柱、流火、耕舌、剉首、燒腳、啗眼、鐵丸、諍論、鐵鈇、多瞋等處地獄。仁者！在鐵圍山內，像這樣的地獄有無數個，例如還有叫

喚、拔舌、糞尿、銅鎖、火象、火狗、火馬、火牛、火山、火石、火牀、火梁、火鷹、鋸牙、剝皮、飲血、燒手、燒腳、倒刺、火屋、鐵屋、火狼等無數的地獄。在這些地獄裡，還有許多不同名稱的小地獄。仁者！這都是南閻浮提行惡的眾生，因罪業所感招的惡報。這些罪業的力量高過須彌山，深過巨海，能障礙修行的聖道。所以眾生不要輕視小惡，以為是沒有

罪過的，到死後的果報仍是絲毫不差。即使是父子至親，死後也都各受果報，縱然父子相逢，也不能代替受報。我今仰承佛的威神力，大概說說地獄罪報的情況，請仁者暫時聽我說。」普賢菩薩答說：「我在很久以前便知道這三惡道的苦報。我今希望仁者說說，可令後世末法裡一切造惡業的眾生，聽了仁者的話後，能發心歸依三寶，免除三惡道的苦報。」

地藏菩薩說：「仁者！地獄罪報的情形是這樣的：或拔取罪人的舌頭，用牛去耕犁；或鉤出罪人的心，讓夜叉吃掉；或以大鍋煮滿沸湯，煮罪人的身體；或火燒銅柱令罪人抱；或以猛火趕燒罪人；或以冰寒冷凍罪人；或以糞尿熏臭罪人；或以鐵蟲叮咬罪人；或鑽火槍燒燙罪人；或擊撞罪人的胸背；或火燒罪人的手足；或以鐵蛇纏絞罪人；或以鐵狗追咬罪人；或令

罪人騎在火燙的鐵騾上等等。仁者！像這些罪報在每個地獄中，都有百千種由銅、鐵、石、火造成的刑具，而這銅鐵石火就是眾生惡業所感招的果報。假如要廣泛的說明地獄罪報的種種情形，在每一個地獄裡，就已有千百種的痛苦，更不用說在無數地獄內不可數的痛苦！我今仰承佛的威神力及仁者所問，大略的說說而已，若要詳盡的解說，那是一劫也說不完。」

如來讚歎品第六

這時，世尊舉身放出大光明，徧照百千萬億無量諸佛世界，發出大音聲，普告諸佛世界一切大菩薩，及天、龍、鬼、神、人、非人等說：「你們聽我今日稱揚讚歎地藏大菩薩，於十方世界現出大不可思議的威神慈悲力，救護一切罪苦眾生的事情。在我滅度後，你們各位大菩薩及天龍鬼神等，要好好的護衛這部地藏經，使所有的眾生都證得不生不滅的涅槃快樂。」

這時，會中有位普廣菩薩合掌恭敬的對佛說：「今日見到世尊讚歎地藏菩薩有不可思議的大威神德，請世尊為未來世的末法眾生宣說地藏菩薩利益人天因果等事情，使所有的天龍鬼神及未來世的眾生都來頂受奉持佛的教誨。」

這時，世尊告訴普廣菩薩說：「你們好好的聽！我大概的為你們解說地藏菩薩利益人天福德的事情。」

「在未來世中，若有人聞到地藏菩薩的名字，或者有人恭敬合掌、讚歎、禮拜、戀慕，此人可超越過三十劫的罪業。若有人彩畫地藏菩薩形像，或者以土石膠漆，或者用金銀銅鐵鑄造地藏菩薩的形像來瞻仰禮拜，此人將可百次往生三十三天，永不墮於惡道。假如天福享盡而投生為人，尚能做為國王，還不會失去這樣的大利益。

若有女人討厭女人身，誠心供養地藏菩薩的畫像或土石膠漆銅鐵所造的菩薩形像，而每日虔誠不退心，常用香華、飲食、衣服、繒綵、幢旛、錢寶等物莊嚴供養地藏菩薩，將承受供養地藏菩薩的功德福力，除非是她慈悲發願要再受女身來度脫眾生，否則，這位女人盡此一女報身後，經百千萬劫，將不再生到有女人的世界裡，更何況是再受報為女人身？

普廣！若有女人討厭自己生得醜陋且又多病，若能在地藏菩薩像前誠心瞻禮，只需在一頓飯的時間，這人就能在千萬劫中，常受生相貌圓滿端正。這女人若不討厭女人身，則能在百千萬億生中，常生為王女王妃或宰相大長者的女兒，而且相貌圓滿。這都是因為她瞻禮地藏菩薩所獲得的福報。

普廣！若有人能在地藏菩薩像前，以種種的技樂歌詠讚歎，且用香花供養，甚至還勸導他人敬信禮拜供養。像這些人在現在世及未來世中，常得到百千鬼神日夜護衛，連惡事他們也不會聽到，何況親身去嘗受惡事橫禍？

普廣！在未來世中，若有惡人或惡神惡鬼，見到有善男子善女人恭敬供養，讚歎瞻禮地藏菩薩的形像，這些惡人鬼神若生起譏笑毀慢的心，謗說這是沒有功德利益的事情，或露齒冷笑，或在背後誹謗，或勸他人共同毀謗，不論是一個人或很多人一同誹謗譏笑，甚至只是一念生起譏毀的人。

像這些人，就是經過賢劫裡一千位佛出世又皆滅度了，但其譏毀的業報，還仍在阿鼻地獄受極重的罪苦。在受完地獄罪苦後，又去受餓鬼的苦報。經過千劫後，又去受畜生的苦報。

經過千劫後，才得做人，但也是貧窮下賤，同時六根不完全具足，且常被惡業纏結其心，所以不久後，又再墮入惡道。普廣！譏毀他人供養，尚獲此報，何況是另生惡見去毀滅佛法。

普廣！若在未來世中，有人久病臥床，求生不得，求死不能；或者常在夜裡夢到惡鬼或已死去的親人，或常夢到與鬼神同遊在危險的路上而驚叫不醒；這樣經年累月的變成癆傷重病，連在睡眠中也呻吟叫苦而悽慘不安。

這都是病人往昔所造的惡業，與所感招的冤魂，正在陰間論對索報。但因業報輕重尚未判定，而未能即刻受報應，所以病人不能捨壽死去，或是病苦纏身，不能痊癒。以上這些情形，不是凡夫俗眼所能分辨瞭解的。

若有人患了這種病症，應當對著佛菩薩像前，大聲念地藏經一遍，或拿病人喜愛的東西，如衣服珍寶、莊園舍宅，對著病人的面前，大聲唱說我某某等，為這位病人在經像前，將他所愛的寶貝園宅施捨變賣，拿來供養經像或造佛菩薩形像、建塔修寺、燃油燈、布施常住等，這樣在病人面前說三次，令病人聽得清楚，假如病人的神識已分散，或已氣絕，在七日之中

又要高聲的說這些話和誦經，病人死後，他的宿業重罪，乃至五無間地獄的罪，都能永得解脫，所投生處，常知自己前生的事情。何況是自己寫地藏經或教人寫，或自己塑畫菩薩形像，乃至教人塑畫？此人所受果報必得大利益。因此，普廣！若見有人讀誦乃至一念讚歎恭敬此經，你須好好的勸勉他們用功，不要退心，這能令他們在現在未來獲得不可思議的功德。

普廣！若未來世的眾生，在睡夢中見到種種的鬼神及形狀，或悲啼、愁嘆、恐怖，這都是在一生或多生前的過去父母、弟妹、夫妻等眷屬

在惡道受苦，不得出離，又無法請有福力的人救救他們。普廣！你應當勸令他們好好的修福積德，迴向給冤鬼孤魂，令其早離惡道苦。

普廣！你當以神力令那些在世的眷屬，在佛菩薩像前至誠讀誦地藏經，或請人代讀，經過三遍或七遍，這些在惡道的眷屬鬼魂當得解脫，乃至其親人在睡夢中，永不再看見這些鬼魂。

普廣！若未來世有種種下賤或奴婢等不得自由的人，覺知宿世罪業而要懺悔，只要能至誠瞻禮地藏菩薩的形像，一日或至七日，念菩薩的聖號至一萬遍，此人在盡此報身後，千萬生中常投生到尊貴家去，而不再受三惡道的苦報。

普廣！若未來世中，有人新生嬰兒，在七日之內，能為兒童誦地藏經，且念菩薩名號滿一萬遍，這孩子便能解脫宿世的禍報而安樂長壽。

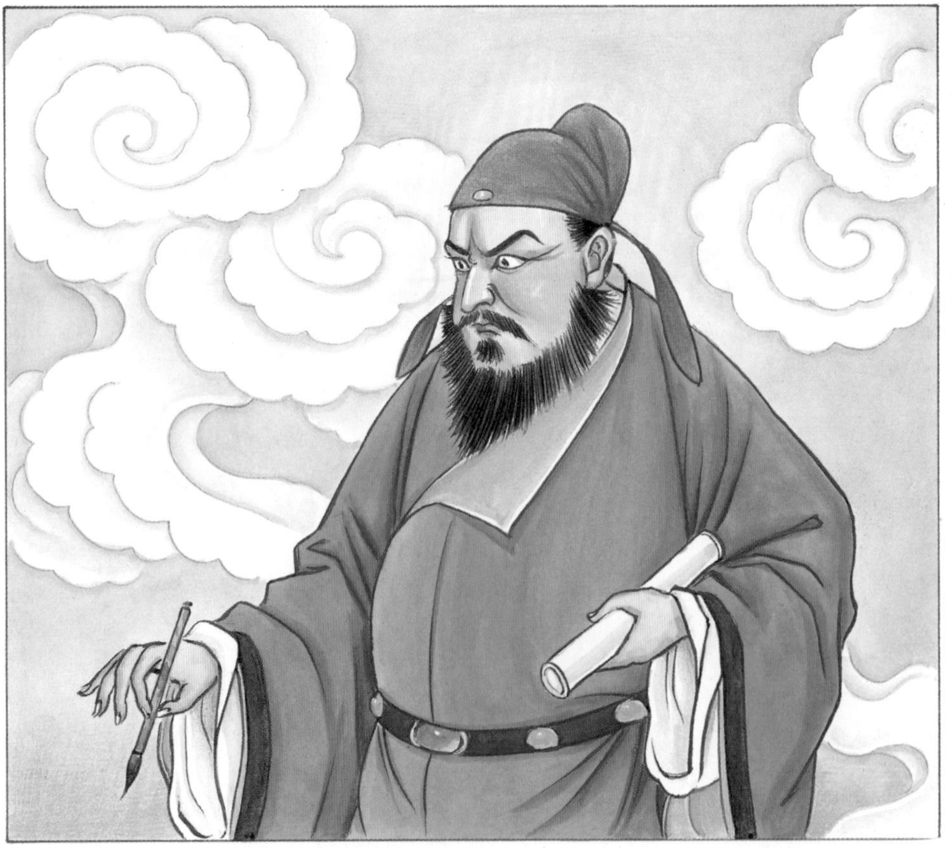

普廣！未來世在每月的初一、初八、十四、十五、十八、二十三、二十四、二十八、二十九，乃至三十等日，有天曹來審定眾生的罪業。

南閻浮提眾生的言行舉止，都是在造業，何況再恣情的做出殺盜淫妄語等罪業。假如能在十齋日對著佛菩薩像前，讀誦地藏經一遍，能使

四周百由旬內沒有種種的災難。並且在百由旬內所居住的家庭，其家人在現在及未來世百千歲中，皆能永離惡趣的果報。

若能每逢十齋日，都讀誦一遍地藏經，現世這些家庭即能免除種種橫病，而且衣食豐足。普廣！地藏菩薩有種種不可思議百千萬億大威神力，來利益眾生的事情。閻浮提世界的眾生，

與這位大士有深厚的因緣。這些眾生，聽見菩薩名號或看見菩薩的聖像，甚至聞到這部經的三字或五字，一首偈或一句經文的人，在現世即能非常安樂，在未來世百千萬生中，也常長得端正，而且投生在尊貴的人家中。」

這時，普廣菩薩聽完佛讚歎地藏菩薩後，跪地合掌對佛說：「世尊！我久知這位大士有不可思議的神力及大誓願力，但是為令未來的眾生，知道這不可思議的利益，所以請問世尊，我們應如何稱呼這部經？如何流通這部經？」佛告訴普廣說：「此經有三名：一名地藏本願經，亦名地藏本行經，亦名地藏本誓力經。這是因為地藏菩薩從久遠劫來，發大誓願利益眾生的緣故，所以你們應依其大誓願力宣揚流通，廣度眾生。」普廣菩薩聽了佛的指示後，恭敬合掌，頂禮退下。

這時，地藏菩薩告訴佛說：「世尊！我觀察閻浮提眾生，舉動心念都是在造業，有時或能做點善事，但都很快的退去善心而未獲善利。這些人就像是走在爛泥中，背著重石，越走越困難。此時若能遇到有力的善知識，幫他背一些重石或全部幫他代背，扶助他走到平地，又教他修學佛法，去惡行善，反省從前所走過的爛泥惡路而勿再經歷，這才能令他出離惡道苦。

世尊！有些習於造惡的眾生，都是從纖毫小惡而漸漸積集到無量大惡，所以當他臨命終時，父母眷屬應該為他修福，資助他能往生善道。

或在佛前懸掛幢幡寶蓋，燃點油燈，或替他讀誦佛經，造各種佛菩薩的聖像，乃至念佛菩薩及辟支佛的名字，每一句聖號都要高聲念，深入臨終人的耳根，使他聽入心識本處。

這些眾生所造惡業，果報招感必墮惡道，但因家人替他修福德而能消滅眾罪。若還能在其死後四十九天內，為死者廣做善事，即能使他永離惡道，投生人道或天道享受妙樂；而為他修福德的在世眷屬，也能得到無量的利益。所以我今對佛及天龍八部等，勸告南閻浮提眾生，在臨終之日，要小心謹慎，不要殺害生命，或造種種惡緣來拜鬼祭神，或乞求山間的魍魎。

為什麼呢？因為殺生來祭拜鬼神，根本不能利益死者，反而卻增長死者的罪業。假使未來或現在生，本可生到人間或天上，但因臨終時，眷屬替他殺生造業，連累他要和那些被害的冤魂對辯，以致延遲往生善處。何況死者生前若是沒有少許善根，就要依其罪業受惡道苦，這些家屬竟然還忍心為他增長罪業！這就好像有人從遠地來，絕糧三日，又背負超過百斤的重物，忽然遇到鄰居，更要他多帶一些東西，因此反而又增加了他的困重。

世尊！我觀看這閻浮提的眾生，只要在佛教中做善事，不論多少，所有利益都是自己獲得。」地藏菩薩說這話時，在會中有一位長者，名

叫大辯，這位長者在很久以前，已證得無生法忍的果位，他化度十方世界的眾生，常以長者示現。這時，他合掌恭敬的問地藏菩薩說：「

大士！這南閻浮提眾生死了以後，他的眷屬為他修功德，乃至設齋供養，或做種種的善因，這樣死者能得到大利益及解脫嗎？」地藏菩薩

答說：「長者！我今承佛威力，為未來現在的一切眾生大略的說明此事。長者！未來現在許多眾生，將死時若能聽到一位佛或菩薩、辟支佛的名字，不論他有罪沒罪，都能得到解脫。

若有人不做善事，多做惡事，命終之後，眷屬們為他修造福德，若有七分功德，死者只能得到一分，而其他六分功德全由生者自得。因此，眾生若能趁著健康的時候修善植福，命終之後，則每一分功德都是由自己得到。

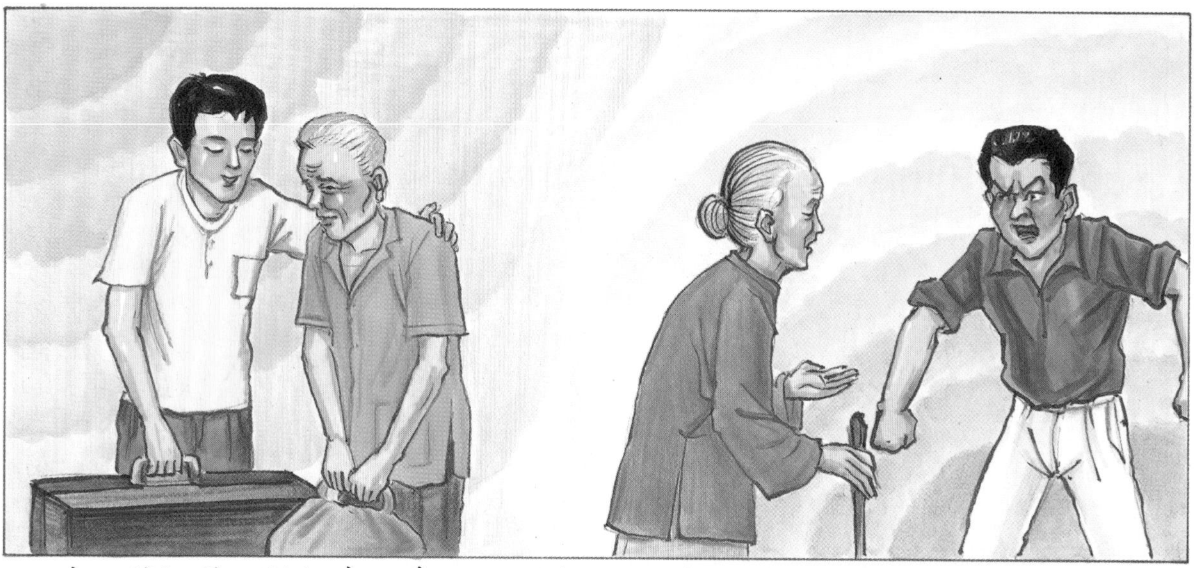

將來無常大鬼到來，帶著死者到陰間，那時還不知是罪或福。因為人死後四十九天內，好像痴聾一樣，在陰司辯論審定之後，才依其業報受生，而死者在經審判之前就已經非常愁苦，何況又墮落到各種惡道去受苦！

這死者在未得受生的四十九天內，很渴望眷屬們為他造福救拔，四十九天過後，便要隨業去受報。若是罪人，受罪報便常經過千百年而無法解脫。若是犯了五無間罪，就要墮到無間地獄，經過千萬劫長久的受苦。但罪人的眷屬們若能為他資助供養三寶，而且不要糟蹋浪費齋菜，甚至所有食物若未供養佛、僧之前，都不得先食。如果不是這樣，浪費齋食或未供先食，不精進勤修福德，則死者就得不到任何利益。若能精勤清淨的護持三寶，死者在七分功德中，才能得到一分。因此，閻浮提眾生若能在父母或眷屬死後，至誠懇切的為他們辦齋供養三寶，這樣生者和死者才都能得到利益。」地藏菩薩說完話後，在忉利天宮有千萬億的閻浮提鬼神，因聽了地藏菩薩的這些話，都發出無量正等正覺的心願，而大辯長者也頂禮退下。

閻羅王眾讚歎品第八

這時，鐵圍山內有無量的鬼王與閻羅天子都來到忉利天佛說法的道場。有所謂的惡毒鬼王、多惡鬼王、大諍鬼王、白虎鬼王、血虎鬼王、赤虎鬼王、散殃鬼王、飛身鬼王、電光鬼王、狼牙鬼王、千眼鬼王、噉獸鬼王、負石鬼王、主耗鬼王、主禍鬼王、主食鬼王、主財鬼王、主畜鬼王、主禽鬼

王、主獸鬼王、主魅鬼王、主產鬼王、主命鬼王、主疾鬼王、主險鬼王、三目鬼王、四目鬼王、五目鬼王、祁利失王、大祁利失王、祁利叉王、大祁利叉王、阿那吒王、大阿那吒王，如是等大鬼王，各與許多小鬼王都居住在南閻浮提，各有各的執事和主持的部門。這些鬼王和閻羅天子都仰承佛和地藏菩薩的威神力，都來到這忉利天宮的法會，在一邊恭敬的站著。

這時，閻羅天子跪地合掌問佛說：「世尊！我們今天承佛和地藏菩薩的威神力，才能來忉利天宮參加這法會。我現在有點小疑問想請教於世尊，唯願世尊慈悲宣說。」佛告訴閻羅天子說：「隨便你問，我來為你解說。」這時，閻羅天子瞻禮世尊，和回頭看看地藏菩薩，然後對佛說：「世尊！我觀地藏菩薩在六道中，用盡百千種的方便方法來救度造罪受苦的眾生，不怕辛苦疲倦，這位大菩薩有如此不可思議的神通事蹟。可是這些眾生縱

使得解脫罪報，在不久之後，便又墮到惡道去。世尊！這位地藏菩薩竟然有如此不可思議神力，為何眾生還不肯依著善道修行而永遠解脫？唯願世尊為我解說。」佛告訴閻羅天子說：

「南閻浮提眾生的心性剛強，很難調伏。這位大菩薩從百千劫以來，就一直不辭疲倦去救拔這些眾生，令他們早日解脫，可是仍有人墮在大地獄裡受報，地藏菩薩更以方便力拔出他們的根本業緣，而令他們覺悟前生所造的事情。

只是閻浮提眾生作惡的習性太重了，一會兒才出惡道，但一會兒又墮入惡道去，而如此勞動地藏菩薩久遠劫來不停的救度。這就像是有人迷途而誤入險路，在險路中有許多夜叉、老虎、狼、獅、蚖蛇、蝮蠍，這迷路人必將遭受侵害。此時剛好有位善知識能防制惡獸夜叉等侵害，他看到迷路人將要誤入險路，就告訴他說：『你為什麼要走這條險路？你能制伏那麼多

的惡獸嗎？』迷路人聽到這話，才知道這裡是條險路，於是想要離開這裡，這位善知識便帶引他走出險路，到達安全的地方，然後告訴他說：『以後不要再來這裡！凡是進入此路，便很難出來，常有性命的危險。你如果見到親朋好友或其他路人，應當告訴他們，這條路埋伏許多惡獸毒害行人，不要使他們走入這條死路。』所以地藏菩薩以大慈悲願心，來救拔罪苦

的眾生，使他們投生人或天道中安穩快樂。這些受過罪苦的眾生因為知道業道中的苦痛，所以一經解脫，就永遠不肯再經歷這惡道苦了。就像是迷路人誤入險道，遇善知識帶引出離後，便永不再走入險道，而且逢見他人，復勸莫

入，這是因為自己曾迷路過，解脫後自不會再誤入。若再誤入，便將喪命，就與墮入惡道無異。地藏菩薩雖以種種方便神力來使他們解脫，但不久後，這些眾生多再墮入惡道，若是惡業深重，就將永處地獄而沒有解脫的時候。」

這時，惡毒鬼王合掌恭敬對佛說：「世尊！我等無量鬼王在閻浮提內，有利益人的，也有損害人的，這都是因閻浮提眾生所做善惡業而感招，致使我們的眷屬遊行世界多惡而少善。我們經過世人的家庭房舍，若見有人做了很小的善事，乃至懸一旛蓋或點香，或以少許的花來供養佛菩薩像，或讀誦佛經乃至一句一偈；我等鬼王會敬禮這人，就如敬禮諸佛一樣。我們會命令有力的小鬼護衛這人，不令惡事橫病等不如意事近於這家門，何況入門去侵犯呢？」

佛讚歎鬼王說：「很好！你們和閻羅天子能如此擁護善信的眾生，我也告訴梵王和帝釋，令他們來護衛你們。」這時會中有一位主命鬼王

對佛說：「我本業緣，主司閻浮人命生死。我本願是很想利益他們，但是眾生不解我意，所以在生死輪迴都不得安樂。這是什麼緣故呢？

因閻浮提的人在生小孩時，能做些善事，增益家人善福，自會令土地神很歡喜而來保護這母子，連其眷屬也得到安樂的利益。所以生小孩

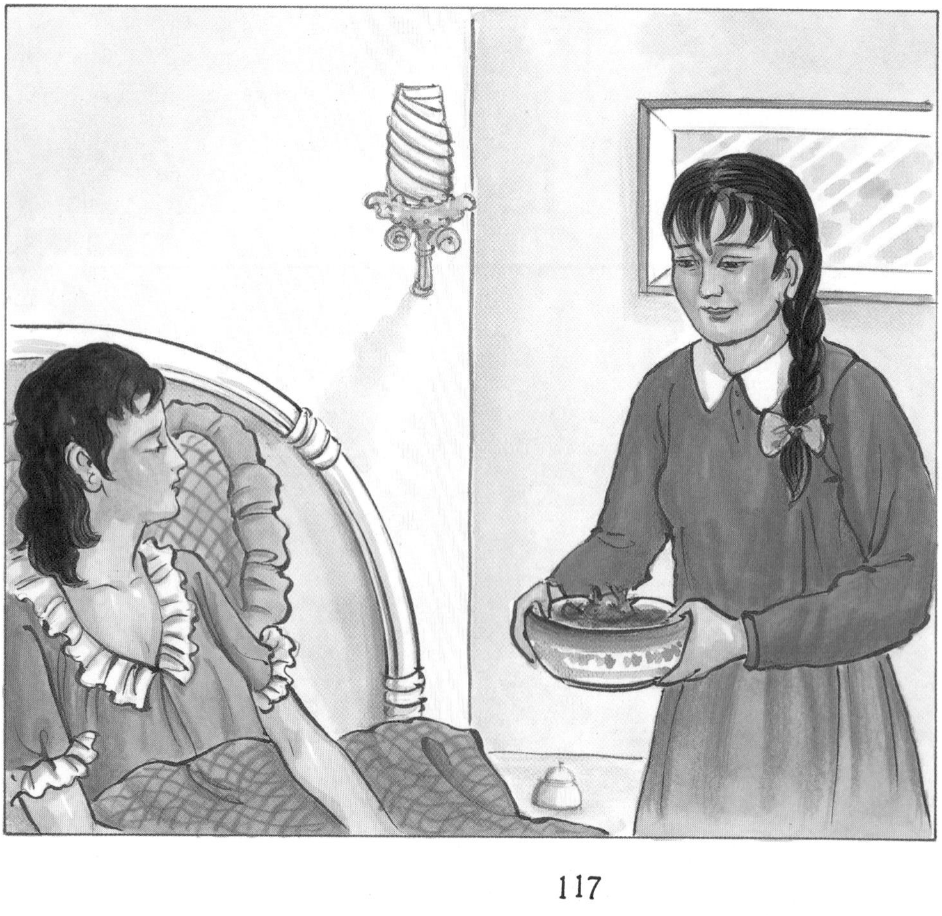

時，切勿殺害生命來祭神，或以眾生的鮮肉補給產母，或請親友來慶祝飲酒食肉，歌舞歡樂，這樣會令產母和嬰兒都不能得到安樂。

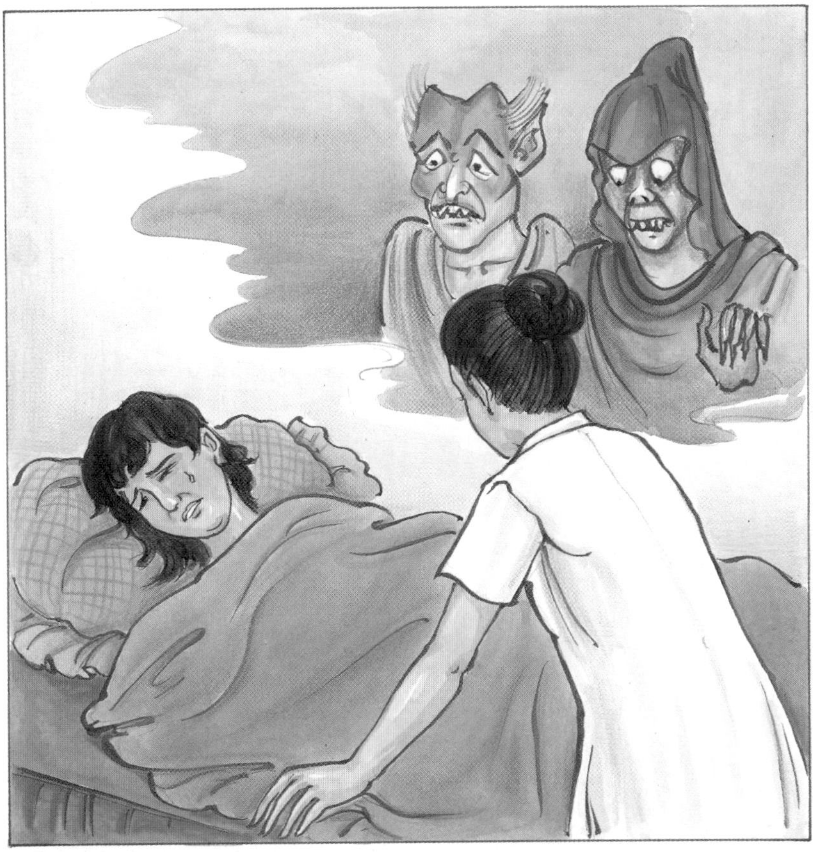

這是什麼緣故？這是因為生產時，有無數惡鬼和魍魎精魅來吸食腥血，我已使令土地神祇保護母子，使其安樂。因此，他們應該多做善事來答謝土地神，但是他不但不報答，反而殺害眾生飲酒作樂，因此，犯殃自受而母子皆損。

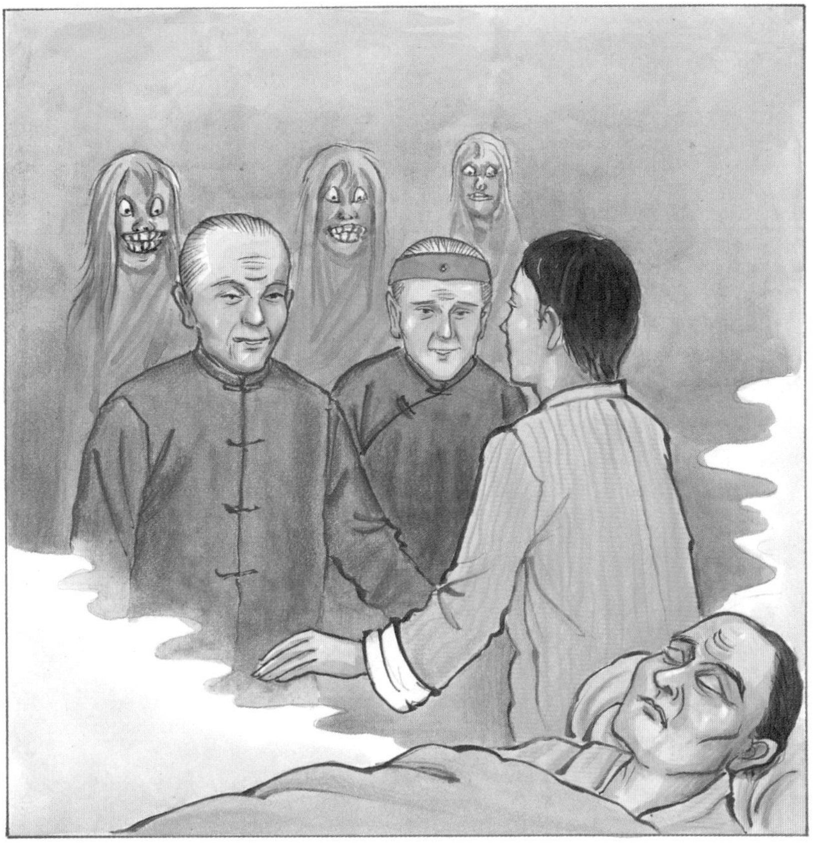

又閻浮提臨命終人不分善惡，我欲這命終人不落惡道，何況是生時已廣修福德的人。而這閻浮提的行善人，臨命終時，亦有許多惡鬼變成他的父母或親友，來引誘亡人，令他落入惡道，何況生時是造惡的人，就更難脫離惡道了！

世尊！閻浮提眾生臨死時，神識昏昧，不知善惡，甚至連眼耳都不能見聞。這時，他的眷屬當須設大供養，讀誦大乘經典，念佛菩薩名號。以此善緣，能令亡者脫離惡道，所有魔鬼也全都退散。世尊！一切眾生臨死時，若得聞一佛名、一菩薩名或大乘經典的一句或一偈，我觀這些人，能消除五無間罪。若是小小惡業，本應墮入惡道的，亦能消除業障而得解脫。」

佛告訴主命鬼王說：「你這樣慈悲，能發如此大願，在眾生的生死苦海中保護眾生。若未來世中有人臨生死時，你不要退這救護的願力，要盡令眾生解脫安樂。」鬼王告訴佛說：「願世尊不要憂慮此事，我當畢盡我的形體壽命，令閻浮提眾生在生時或死時，都得到安樂。但願眾生於生死時，相信接受我的話，自然沒有一個不得到解脫，獲得大利益的。」

這時，佛告訴地藏菩薩說：「這位主命大鬼王已曾經百千生作大鬼王，擁護在生死中的眾生。這是大士的慈悲願力，化身大鬼王身，其實他並不是鬼。從現在經過一百七十劫之後，他將成佛，名號叫無相如來，劫名叫安樂，那個世界的名叫淨住，這佛的壽命是不可計數的。地藏！這位鬼王的本事是如此不可思議！他所度過的人天眾生，也是無量的！」

稱佛名號品第九

這時，地藏菩薩對佛說：「世尊！我今為未來一切眾生演說利益事，在他們的生死中，能得到大利益，唯願世尊聽我說明。」佛告訴地藏菩薩說：「你今發大慈悲心，救拔一切罪苦六道眾生，演說不可思議事，今正是時候，應當快說，不然我即將要入涅槃，如果你早點圓滿你的誓願，我也可以不必再去憂愁掛念現在和未來的一切眾生了。」

地藏菩薩告訴佛說：「世尊！過去無量阿僧祇劫前有佛出世，名為無邊身如來。若有人聞此佛名而暫生恭敬，即得超越四十劫生死重罪，何況是塑畫形像供養讚歎，此人將獲福無量。

又在過去無量劫前有佛出世，名號為寶性如來。若有人聞此佛名，在一彈指的時間發心歸依，此人於無上的佛道，將永不退轉。

又過去有佛出世，名號為波頭摩勝如來。若有人聞此佛名經過耳根，此人當得千次生於六欲天中，何況能志心稱念佛號，更將獲福無量！

又過去無量阿僧祇劫前有佛出世，名號為師子吼如來。若有人聞此佛名而一念歸依，此人得遇無量諸佛摩頂授記。

又過去有佛出世，名號為拘留孫佛，若有人聞此佛名，志心瞻禮或讚歎，此人將於賢劫千佛會中為大梵王，得受無上菩提記。

又過去有佛出世，名號為毘婆尸佛。若有人聞此佛名，將永不墮惡道，常生人天，受勝妙樂。

又在過去無量劫前有佛出世，名號為寶勝如來，若有人聞此佛名，畢竟終不會墮入惡道，常生在天上，受勝妙樂。

又過去有佛出世，名號為寶相如來。若有人聞此佛名，生恭敬心，此人不久將得阿羅漢果。

又過去無量阿僧祇劫前有佛出世，名號為袈裟幢如來。若有人聞此佛名，將超越一百大劫生死之罪。

又過去有佛出世，名號為大通山王如來。若有人聞此佛名，此人得遇到如恆河沙數無量的佛，廣為他說法，將來必能證得菩提的果位。

又在過去，有淨月佛、山王佛、智勝佛、淨名王佛、智成就佛、無上佛、妙聲佛、滿月佛、月面佛等說不盡的佛。

世尊！現在和未來的一切眾生，只要能稱念一佛名號，就有無量功德，何況是念多位佛的名號！這些眾生在生時或死時，自得大利，終不墮惡道。若有臨命終人，家中眷屬即使只有一人，能為病人高聲念一佛名，此命終人除了犯五無間罪以外，其餘業報皆得消滅。這五無間罪，雖是犯得很重，動經億劫還不得出離，但因承蒙眷屬為他稱念佛名，使他在重罪中也能漸漸消滅罪業，何況是眾生自己稱念佛名，更將獲無量福，滅無量罪。」

校量布施功德緣品第十

這時，地藏菩薩承佛威神力，從座位站起來，在佛前跪地合掌說：「世尊！我觀業道眾生所做的布施，有輕有重。有一生受福，有十生受福，有百生千生受大福利的。這是怎麼一回事？唯願世尊為我開示。」佛告訴地藏菩薩說：「我現在忉利天宮的法會中，說閻浮提眾生的布施，校量功德輕重，你應當注意聽，我來為你解說。」地藏菩薩對佛說：「我對此事有所疑惑，所以很樂意來聆聽世尊您的解說。」

佛告訴地藏菩薩說：「南閻浮提世界各國的國王、宰輔大臣、大長者、王族大剎利、大婆羅門等，若遇見低賤貧窮的人民，乃至種種盲啞痴聾的殘廢者，這國王或宰輔大臣等欲布施時，若能具大慈悲心謙卑含笑，親手布施或請人代施，且以軟言安慰貧苦眾生，這國王等所獲福利，就如布施百恆河沙數佛功德之利。這是因為國王等對貧賤殘廢者發大慈心，所以獲此福報，在百千生中常得七寶具足，何況衣食等等，更是享用不盡了。」

「再者，地藏！若未來世有國王、婆羅門等，遇見佛塔寺、佛形像或菩薩、聲聞、辟支佛像等，若能親自營辦供養布施，這國王等當得三

劫為帝釋身，受勝妙樂。若能以此布施福利迴向法界，這大國王等將於十劫中常做大梵天王。

再者，地藏！若未來世有國王、婆羅門等，遇見先佛塔寺或經像，毀壞破落，若能發心修補，這國王等或親自營辦，或勸他人乃至百千人等布施結緣，這國王等將在百千生中常做轉輪聖王。與他一樣的布施者，將在百千生中常做小國王。若更能於塔寺前發心迴向法界，這些國王或其他同行布施的人，將盡成佛道，因為這功德果報是無量無邊的。

再者，地藏！未來世中，有國王及婆羅門等，看見許多老人、病人及產婦，若能生一念大慈心，布施醫藥、飲食、臥具，使令安樂，如此的福利是最不可思議的；他們將在一百劫中，

常做淨居天主；二百劫中，常做六欲天主，而後將究竟成佛，永不墮惡道，乃至百千生中，耳不聞到叫苦聲。

再者，地藏！若未來世中，有國王及婆羅門等，能如此布施而更能迴向，不論多少，皆能畢竟成佛，何況是釋梵轉輪王等果報？因此，地藏！你當普勸眾生如此學習。

再者，地藏！未來世中，若有人在佛法中種下很小的善根，好像毛髮沙塵那麼的少，但是他們受到的福德利益，也是不能比喻的。

地藏！未來世中若有人遇見佛形像、菩薩形像、辟支佛形像、轉輪王形像而布施供養，此人將得無量福，常在人天受勝妙樂。若能將此福德迴向法界，此人的福利更將大得無法比喻。

再者，地藏！未來世中若有人遇見大乘經典，或聽聞一偈一句，恭敬讚歎，發心布施供養，此人將獲得無量的大果報。若更能迴向法界，他的福德利益，則不能言喻。

再者，地藏！若未來世中有人遇見佛塔寺、大乘經典，見是新的，則去布施供養，瞻禮讚歎恭敬合掌。若是舊的或壞的，則去修補整理，

或自己發心，或勸多人共同發心來做，像這些人將在三十生中，常做小國王。若是自己發心去做，或勸他人共同去做，此人可常做轉輪王，還會用善法去教化其他小國的國王。

再者，地藏！未來世中，若有人於佛法中所種善根、布施供養、修補塔寺或裝理經典，乃至像毛髮塵沙般少許的善事，若能迴向法界，此人功德能在百千生中受勝妙樂。但若只是迴向自己眷屬或自身利益，像這樣的果報，就只有三生的受樂。所以若能捨了一份，則將獲得萬份的果報。因此，地藏！布施因緣的事實就是這樣。」

地神護法品第十一

這時，堅牢地神對佛說：「世尊！我從久遠來瞻禮過無數的大菩薩，他們都具足不可思議的大神通智慧，廣度一切眾生；而這位地藏大菩薩的誓願力比其他菩薩還深重。世尊！這位地藏菩薩與閻浮提眾生有大因緣，如文殊、普賢、觀音、彌勒四位大菩薩，也化現百千身形來廣度六道的眾生，但他們的誓願尚且有完畢的一天；唯有這位地藏菩薩教化六道一切眾生，所發的廣大誓願，已經過如千百億恒河沙數多的劫數。世尊！我觀未來及現在眾生，在住處的南方找個清淨地，以土石竹木等做一個神座淨室，在這室中能塑畫乃至用金、銀、銅、鐵來鑄造地藏菩薩的形像，時常燒香供養，瞻禮讚歎，這人的居處即可獲得十種利益：一、土地豐壤，二、家宅永安，三、已亡的祖先可超昇天上，四、現在活者皆能延壽，五、所求如意；六、無水火災，七、一切驚恐損耗的事都得消除，八、不做惡夢，九、出入有神護衛，十、多遇到如聞法誦經、布施、塑造佛像等聖德因緣。

世尊！未來及現在的眾生，若能在住處做這樣的供養，則能獲得這十種利益。世尊！未來世中若有人在住處有地藏菩薩本願經和地藏菩薩的聖像，此人若能讀誦這部經，供養地藏菩薩，我便在日夜常以神力衛護此人，乃至於水火盜賊等橫禍惡事都會消滅。」佛告訴堅牢地神說：「像你這種大神力，其他神很少比得上。閻浮提世界的土地，都是蒙你保護，乃至一切草木沙石，稻麻竹葦等地上的生物，都是因為你的保護力而能生長。你更應常稱揚地藏菩薩功德利益的事情，因而你的功德和神通自然百千倍勝於普通地神。若未來世中有人供養地藏菩薩和誦讀此經，只要是依地藏本願經修行者，你都要去保護他，勿使一切不如意的災禍令他聽到，何況是令他遭受到？不僅是你去保護此人，還有帝釋梵王等天神眷屬也來保護他。他所以會得到聖眾護衛，都是因為瞻禮地藏菩薩形像和讀誦本願經的緣故。這些人自然將出離苦海，證達涅槃法樂，因此能得到這麼大的護衛。」

見聞利益品第十二

這時，佛從他的頭頂上放出百千萬億的大毫相光，在放毫光中，又放出微妙法音，告訴諸天大眾和天龍八部等會中的一切眾生說：「你們今日在忉利天宮聽我稱揚讚歎地藏菩薩於天道、人道中利益眾生的種種事情，這是不可思議，超凡入聖的事；漸次證達十地果位，究竟不退無上正等正覺的事；還有地藏菩薩欲令一切眾生先成佛後，自己方成正覺的事。」

這時，會中有一位大菩薩，名叫觀世音，從座位起來，在佛前跪地合掌說：「世尊！這位地藏大菩薩具大慈悲心，憐愍罪苦眾生，在千萬億世界化千萬億身來廣度眾生，他的所有功德及不可思議的威神力，我聽世尊與十方無量諸佛異口同音的讚歎地藏菩薩，即使過去、現在、未來諸佛來說他的功德，還不能說完。剛才又蒙世尊普告大眾，要稱揚地藏菩薩利益眾生的種種事情。唯願世尊為現在和未來的一切眾生，稱揚地藏菩薩不可思議

的神通力事，使天龍八部也能瞻禮獲福。」佛告訴觀世音菩薩說：「你與娑婆世界有大因緣，所有天龍神鬼乃至六道罪苦眾生，若聞你名號或見你形像，戀慕讚歎你，這些眾生於無上道必不退轉，且常生人道天道，享受妙樂，等到因果成熟而遇佛授記。你今以大慈悲憐愍眾生及天龍八部，要來聽我宣說地藏菩薩不可思議利益的事情，你應注意聽，我現在為你宣說。」觀世音菩薩答說：「是的，世尊！我很樂意聽。」

佛告訴觀世音菩薩說：「現在及未來世中，有天人的天福享盡時，會現五種衰相，甚至有的墮在惡道裡。他們若在現出衰相時，能見到地藏菩薩形像或聞到地藏菩薩名號，能瞻仰禮拜，這些天人將轉增天福，永不墮入三惡道受報。何況是見到地藏菩薩形像或聞到地藏菩薩名號，能用香花、衣服、飲食、寶貝瓔珞來布施供養，這樣所得的功德福利更是無量無邊。

觀世音！現在和未來世中，若有六道眾生臨死時，能聽到地藏菩薩名號，只要一聲聽入耳根，就永不經歷三惡道苦，何況他的父母眷屬還將這命終人的舍宅財物變賣，轉用來塑畫地藏菩薩形像，甚至還使病人在臨死前看到或聽到，令他知道眷屬已變賣財物，為他來塑畫地藏菩薩形像。假如這人的業報是應受重病的，則將承仗這功德而病癒增壽；若是應命盡而墮入惡道的，則將承仗這功德而消除罪障，命終之後，往生人天，受勝妙樂。

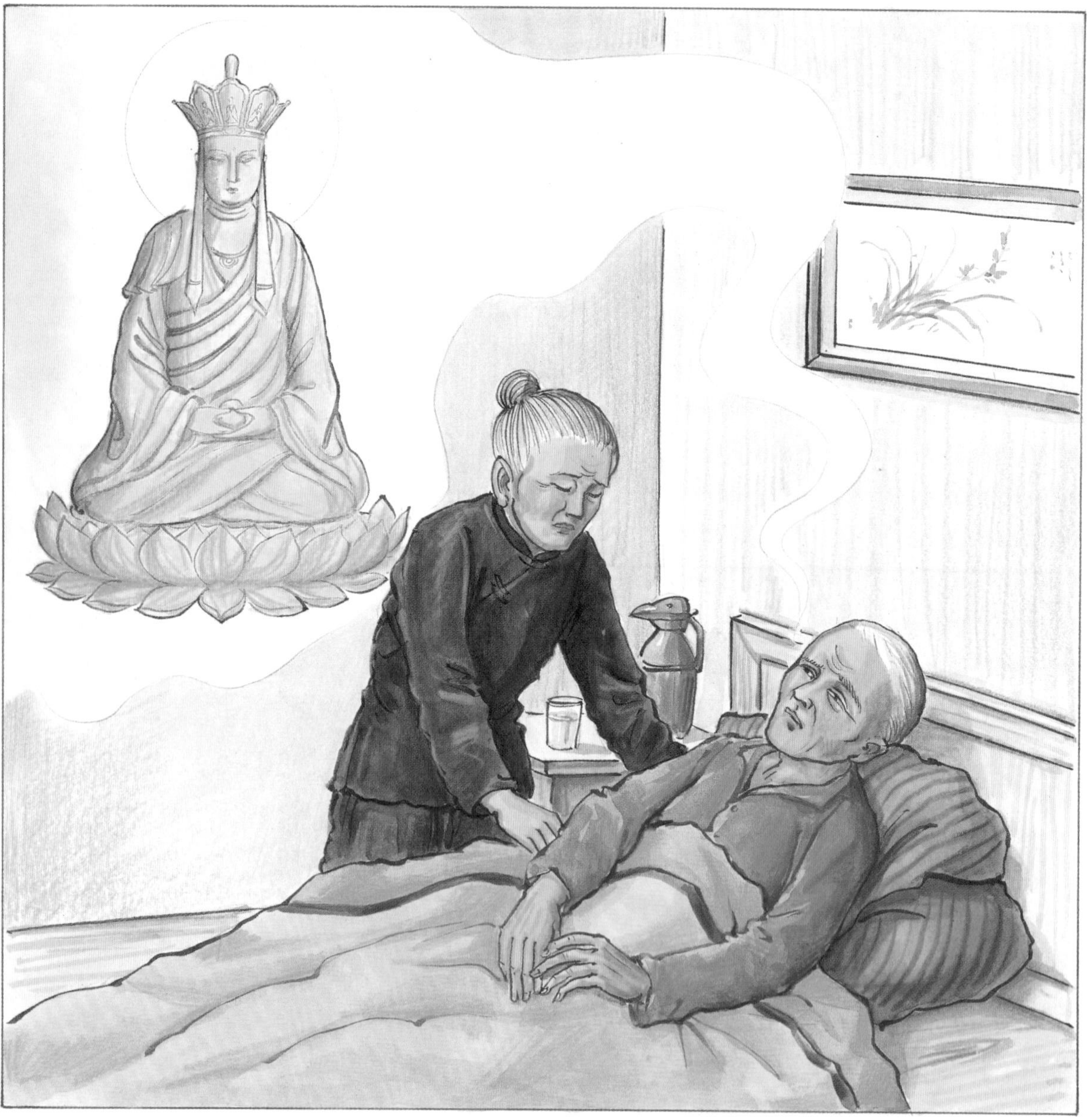

觀世音！未來世中若有人在小時候亡失了父母或兄弟姊妹，長大後思念父母眷屬，不知他們生往那裡。此人若能塑畫地藏菩薩形像，乃至聽到地藏菩薩名號，瞻仰禮拜，從一日到七日都未退心的瞻禮供養地藏菩薩。此人的眷屬若是因業墮入惡道，應受很多劫的罪苦，將仰承這塑畫或瞻禮地藏菩薩形像的功德，而即解脫，往生人天中，享受妙樂，此人的眷屬若是已生人天中，享受妙樂的，即將承此功德，轉增福德聖因而享受無量快樂。

此人若更能在二十一日中，一心頂禮地藏菩薩的形像，念他的名號滿一萬遍，當得菩薩現無邊身形，來告知此人的眷屬生往那裡，或在夢中見菩薩現大神力，親自帶領此人去見他的眷屬。若更能從此每日持念地藏菩薩名號千遍，直到千日都不間斷，此人當得菩薩遣令他所在土地的鬼神，終身護衛他，令他現在衣食豐足，無任何疾苦橫事，此人畢竟將得到地藏菩薩來為他摩頂授記，將來得成佛道。

觀世音！若未來世中，有人欲發廣大慈心，救度一切眾生，或欲修無上菩提，欲出離三界的，這些人見聞到地藏菩薩的形像及名號，至心歸依，或用香花、衣服、寶貝、飲食等來供養，再去瞻仰禮拜。這些善男女的心願都能迅速成就，永無障礙。若欲求現在未來百千萬億的心願和事情，只要歸依瞻禮，供養讚歎地藏菩薩的形像，則所有願求皆能成就。假若他又願求地藏菩薩以大慈悲，永來擁護他，此人在睡夢中，將得菩薩摩頂授記。

觀世音菩薩！若未來世有人對大乘經典深心珍重，又發出不可思議的心來讀誦，雖然遇到明師教導，使他熟悉，但他都很快就忘了，經年累月還是不能讀誦。這是因為他的宿業障礙，所以對於大乘經典沒有記性讀誦。像這樣的人，聽到地藏菩薩名號或見到地藏菩薩形像，應至誠恭敬的陳說給菩薩聽，更用香花、衣服、飲食及一切玩具來供養菩薩，並用一杯淨水放在菩薩像前，經過一日一夜，然後合掌請服，頭轉向南方，在入口時要至

心誠懇。服完後，謹慎不要吃五辛酒肉，也不可以犯邪淫、妄語、殺生。經過七日或二十一日，此人將在睡夢中，面見地藏菩薩現出無邊身形，親自來給他授灌頂水，即從頭上把法水灌下。此人夢醒後，即變聰明，凡是一切經典，一聽入耳根，即當永遠記住不忘。觀世音菩薩！若未來世有人衣食不足，所求不如願，或多疾病，或多凶事衰敗、家庭不安、眷屬分散、多遭橫禍，睡夢中常會驚怖。像這些人若聽到地藏菩薩名號或見到地藏菩薩形像，能至心恭敬持念菩薩的名號滿一萬遍，這許多不如意的事都會漸漸消滅，而得安樂富裕，甚至在睡夢中也很安樂。觀世音菩薩！若未來世有人為了生活，或為了公事、私事、喜喪急事等，要走入山林中或過渡河海等大水或險道；此人應先念地藏菩薩的名號滿萬遍，那麼他所經過的地方，就會有鬼神來護衛；而且在行、住、坐、臥能永保安樂，甚至遇到虎狼獅子等毒害人的惡獸，也不能來損害他。這位地藏菩薩與閻浮提眾生

有大因緣，若要說他利益眾生的一切事情，就是百千劫也說不完。所以觀世音菩薩！你應用你的神通力來流通傳佈這部經，使娑婆世界的眾生能閱讀到這部地藏經，於百千萬劫永受安樂。」這時，世尊再用偈來頌說一遍：「

吾觀地藏威神力　恆河沙劫說難盡
見聞瞻禮一念間　利益人天無量事
若男若女若龍神　報盡應當墮惡道
至心歸依大士身　壽命轉增除罪障
少失父母恩愛者　未知魂神在何趣

兄弟姊妹及諸親　生長以來皆不識
或塑或畫大士身　悲戀瞻禮不暫捨
三七日中念其名　菩薩當現無邊體
示其眷屬所生界　縱墮惡趣尋出離
若能不退是初心　即獲摩頂受聖記
欲修無上菩提者　乃至出離三界苦
是人既發大悲心　先當瞻禮大士像
一切諸願速成就　永無業障能遮止
有人發心念經典　欲度群迷超彼岸
雖立是願不思議　旋讀旋忘多廢失
斯人有業障惑故　於大乘經不能記
供養地藏以香華　衣服飲食諸玩具
以淨水安大士前　一日一夜求服之
發殷重心慎五辛　酒肉邪淫及妄語
三七日內勿殺害　至心思念大士名
即於夢中見無邊　覺來便得利根耳

應是經教歷耳聞，千萬生中永不忘，
以是大士不思議，能使斯人獲此慧。
貧窮眾生及疾病，家宅凶衰眷屬離，
睡夢之中悉不安，求者乖違無稱遂，
至心瞻禮地藏像，一切惡事皆消滅，
至於夢中盡得安，衣食豐饒神鬼護。
欲入山林及渡海，毒惡禽獸及惡人，
惡神惡鬼并惡風，一切諸難諸苦惱，
但當瞻禮及供養，地藏菩薩大士像，
如是山林大海中，應是諸惡皆消滅。
觀音至心聽吾說，地藏無盡不思議，
百千萬劫說不周，廣宣大士如是力。
地藏名字人若聞，乃至見像瞻禮者，
香華衣服飲食奉，供養百千受妙樂，
若能以此迴法界，畢竟成佛超生死，
是故觀音汝當知，普告恒沙諸國土」。

囑累人天品第十三

這時，世尊又舉起金色手臂，摩地藏大菩薩頭頂的說：「地藏！地藏！你的神力不可思議！你的慈悲不可思議！你的智慧不可思議！你的辯才不可思議！即使十方諸佛都來讚歎宣說你的不可思議事，就是千萬劫也說不完。地藏！地藏！記住今日我在忉利天中，於百千萬億無量諸佛、菩薩、天龍八部都聚集的大會中，再將這尚未出離三界火宅中的人天一切眾生付囑於你，不要令他們墮入惡道，受一日或一夜的苦難，何況更令他們墮入五

無間及阿鼻地獄，去受那種經千萬億劫，沒有出期的大苦難？地藏！南閻浮提世界的眾生心性不定，習性做惡的較多，縱使能發出善心，也都很快就退心了，若遇惡緣就惡念增長。因此，我分出百千億身，隨眾生的根性來度脫他們。地藏！我今日懇切的將人間天上的眾生囑託於你，若未來世有人在佛法中種了很小的善根，即使是像毛髮塵沙那麼的小，你也要用神力來擁護他，使他慢慢的修學無上正道而不要退轉。

地藏！未來世中，若有天道人道的眾生隨業報應，應落在惡道，在墮落之間或到了地獄門口，這些眾生若能念得一佛、一菩薩的名號，或大乘經典中的一句一偈；你應以神力方便的救拔他們，到他們的居處現出你無邊的身形，來為他們化碎種種地獄，使他們都能生到天上，享受妙樂。」這時，世尊又以偈頌說：

「現在未來天人眾
吾今慇懃付囑汝
以大神通方便度
勿令墮在諸惡趣」。

這時，地藏菩薩在佛前跪地合掌說：「世尊！請您不要掛慮。未來世中，若有人在佛法中能一念恭敬，我亦以種種方法來度脫此人於生死中，使他迅速解脫。何況是聽見善事而能念念修行的？他自然能在無上道業上永不退轉。」

這時，會中有一位菩薩，名叫虛空藏，他對佛說：「世尊！我來到忉利天這法會上，聽到如來讚歎地藏菩薩的威神力不可思議。未來世中，若有人乃至一切天龍，聽到這部經和地藏菩薩的名字，或瞻禮地藏菩薩的形像，可以得到幾種福德利益？願請世尊為現在和未來的一切眾生，簡略的說一說。」

佛告訴虛空藏菩薩說：「你仔細聽！我來為你

分別說明。若未來世中，有人見到地藏菩薩形像或聽到這部經，甚至讀誦這部地藏菩薩本願經，並且用香華、飲食、衣服、珍寶等來布施供養，讚歎瞻禮，則能得到二十八種利益：

一是天龍護念，二是善果日增，
三是集聖上因，四是菩提不退，
五是衣食豐足，六是疾疫不臨，
七是離水火災，八是無盜賊厄，
九是人見欽敬，十是神鬼助持，
十一女轉男身，十二為王臣女，
十三端正相好，十四多生天上，
十五或為帝王，十六宿智命通，
十七有求皆從，十八眷屬歡樂，
十九諸橫消滅，二十業道永除，
二一去處盡通，二二夜夢安樂，
二三先亡離苦，二四宿福受生，
二五諸聖讚歎，二六聰明利根，
二七饒慈愍心，二八畢竟成佛。
虛空藏菩薩！若現在和未來的天
龍鬼神，聽到地藏菩薩的名號，

禮拜地藏菩薩的形像，或聽到地藏菩薩的本願修行事蹟，而能讚歎瞻禮，則可以得到七種利益：一者、速超聖地，二者、惡業消滅，三者、諸佛護臨，四者、菩提不退，五者、增長本力，六者、宿命皆通，七者、畢竟成佛。」這時，十方世界一切不可說的無量諸佛如來和大菩薩、天龍八部等

眾，聽了釋迦牟尼佛稱揚讚歎地藏菩薩的大威神力，令他們都讚歎的說：「從來未曾聽過像地藏菩薩這麼大的威神願力，真是不可思議！」這時，忉利天就像下雨般的飄下香華天衣和珍寶瓔珞，來供養釋迦牟尼佛和地藏菩薩。在供養完畢之後，一切法會上的大眾都再瞻仰禮拜世尊，而後都很恭敬的合掌退下。

地藏菩薩九華垂迹圖讚

演音敬書

壬申仲冬余来禾島如識世侯
居士時方集錄地藏菩薩聖
德大觀居士割指瀝血為繪聖像
捧持入山余感其誠因請續畫九
華垂迹示後世俾往青陽觀禮
聖蹟復遊錢塘富春逮于四月
蒇繪已訖余為忭喜略綴讚詞
併輯一帙冀以光顯往蹟式酬聖
德焉耳於時後二十二年歲次癸酉
閏五月住溫陵大開元寺尊勝院
結夏安居　大華嚴寺沙門弘一演音

一　示生王家

佛滅度後千五百年地藏菩薩降迹新羅王家姓金名喬覺軀體雄偉頂聳奇骨嘗自誨曰六籍寰中三清術內唯第一義與方寸合耳讚曰

天心一月　普印千江
菩薩度生　徧現十方
此土垂迹　蓋惟唐代
示生新羅　王家華裔
幼而穎悟　力敵十夫
披弘誓鎧　戴智慧珠

二 航海入唐

唐高宗永徽四年 菩薩二十四歲 今列紀年依神僧傳較宋高僧傳先六十餘年良由傳聞有異紀載殊耳 乃落髮航海入大唐國

讚曰

示現出家 而得解脫
乃眷唐土 涉海西薩
一帆破浪 万里乘風
大哉菩畏 為世之雄

三 振錫九華

菩薩至江南池州東青陽縣九華山而好樂之遂造其峯覓得石洞遂居焉讚曰

江南山青 九華殊勝

乃凌絕頂 披榛闢徑

有谷中地 可以棲遲

在山之陽 在水之湄

四 閔公施地

閔老閔讓和青陽人九華山主也菩薩向乞一袈裟地公許之衣張徧覆九華遂盡喜捨公子求出家名曰道明今聖像左右侍者道明及閔公也讚曰

大士神用　不可思議
徧覆九華　一袈裟地
檀那功德　累葉垂芳
常侍大士　莊嚴道場

五山神湯泉

菩薩常力毒螫俄有婦人
作禮饋藥云小兒無知願
出泉資用以贖其過婦山神
也讚曰

九華山中　有泉甘冽
匪以人力　而為淡潔
翳昔山靈　點石神王
清流潺潺　縈帶高峰

六　諸葛建寺

村父諸葛節率群老自麓登高見菩薩獨居石室有鼎折足以白土和少米烹食之相驚歎曰和尚如斯苦行我等山下列居咎耳遂共建寺不累載成大伽藍讚曰

空山無人　雲日倚靡
村老相尋　探幽戾止
乃構禪宇　龍桷寶梁
勝境巍巍　普放大光

七 東僧雲集

新羅僧眾聞之相率渡海請法其徒且多食有未足菩薩乃發石得土色青白不磣如麵聊供眾食讚曰

化協神州 風行東國
緇伍雲集 稟道毓德
有法資神 素食資身
號枯槁眾 為世所尊

八　現入涅槃

玄宗開元二十六年（宋高僧傳作德宗貞元十九年）七月三十夜召眾告別加趺示寂時山鳴石隕扣鐘嘶嗄羣鳥哀啼春秋九十九讚曰

法身常住　言相悉絕
隨眾生心　示現生滅
化事既息　應盡源還
靈場終古　永鎮名山

九

造之浮圖

肅宗至德二年示寂後二
十歲建塔南臺塔成發光
如火因名嶺曰神光贊曰

樹窣堵波　供養舍利
法化常存　真丹聖地
神光嶺表　青陽江頭
靈輝仰瞻　萬祀千秋

十、信士朝山

菩薩垂迹九華迄今千載信心猶素入山頂禮者接踵而至歲無虛日讚曰

慈風長春　慧日永曜
世士緣深　常被遺教
若川趨海　若星拱辰
萬流稽首　四方歸仁
我抒巔毫　敷揚聖業
以報慈恩　而昭來葉
一切功德　迴施含靈
同生安養　共利有情

九華垂迹圖弘一大師讚

集錄

一　示生王家

佛滅度後千五百年，地藏菩薩降迹新羅王家，姓金，名喬覺。軀體雄偉，頂聳奇骨，嘗自誨曰：六籍寰中，三清術内，唯第一義與方寸合耳。讚曰：

天心一月。普印千江。
菩薩度生。徧現十方。
此土垂迹。蓋惟唐代。
示生新羅。王家華裔。
幼而穎悟。力敵十夫。
披弘誓鎧。戴智慧珠。

二　航海入唐

唐高宗永徽四年，菩薩二十四歲（今列紀年，依神僧傳，較宋高僧傳先六十餘年，良由傳聞有異，紀載乃殊耳。）落髮，航海入大唐國。讚曰：

示現出家。而得解脱。
乃眷唐土。涉海西發。

一帆破浪。萬里乘風。
大哉無畏。爲世之雄。

三　振錫九華

菩薩至江南池州東青陽縣九華山，而好樂之，逕造其峯，覓得石洞，遂居焉。讚曰：

江南山青。九華殊勝。
乃陵絶頂。披榛闢徑。
有谷中地。可以棲遲。
在山之陽。在水之湄。

四　閔公施地

閣老閔讓和，青陽人，九華山主也。菩薩向乞一袈裟地，公許之。衣張，徧覆九華，遂盡喜捨。公子求出家，名曰道明，今聖像左右侍者，道明及閔公也。讚曰：

大士神用。不可思議。
徧覆九華。一袈裟地。
檀那功德。奕葉垂芳。
常侍大士。莊嚴道場。

五　山神湧泉

菩薩嘗爲毒螫，俄有婦人作禮饋藥，云小兒無知，願出泉資用，以贖其過。婦，山神也。讚曰：

九華山中。有泉甘洌。
匪以人力。而爲浚渫。

翳昔山靈。點石神工。
清泉潺潺。縈帶高峯。

六　諸葛建寺

村父諸葛節，率羣老自麓登高，見菩薩獨居石室，有鼎折足，以白土和少米烹食之，相驚歎曰：和尚如斯苦行，我等山下列居咎耳。遂共建寺，不累載，成大伽藍。讚曰：

空山無人。雲日綺靡。
村老相尋。探幽戾止。
乃搆禪宇。龍桷寶梁。
勝境巍巍。普放大光。

七　東僧雲集

新羅僧衆聞之，相率渡海請法，其徒且多，食有未足。菩薩乃發石得土，色青白，不磣如麵，聊供衆食。讚曰：

化協神州。風衍東國。
緇伍雲集。稟道毓德。
有法資神。無食資身。
號枯槁衆。爲世所尊。

八　現入涅槃

玄宗開元二十六年（宋高僧傳作德宗貞元十九年），七月三十夜，召衆告別，加趺示寂。時山鳴石隕，扣鐘嘶嗄，羣鳥哀啼，春秋九十九。讚曰：

法身常住。言相悉絕。

隨衆生心。示現生滅。
化事既息。應盡源還。
靈場終古。永鎮名山。

九　造立浮圖

肅宗至德二年，示寂後二十歲，建塔南臺。塔成，發光如火，因名嶺曰神光。讚曰：

樹窣堵波。供養舍利。
法化常存。眞丹聖地。
神光嶺表。青陽江頭。
靈輝仰瞻。萬祀千秋。

十　信士朝山

菩薩垂迹九華，迄今千載，信心緇素，入山頂禮者，接踵而至，歲無虛日。讚曰：

慈風長春。慧日永曜。
此土緣深。常被遺教。
若川趣海。若星拱辰。
萬流稽首。四方歸仁。

＊　＊　＊

我抒顛毫。敷揚聖業。
以報慈恩。而昭來葉。
一切功德。迴施含靈。
同生安養。共利有情。

南無護法韋馱尊天菩薩

佛學淺說13

歷代高僧居士的故事

佛學淺說14

善財童子五十三參

佛學淺說16

六祖壇經

佛學淺說17

物猶如此

佛學淺說系列叢書

①佛學淺說及佛的故事
定價一〇〇元一次訂購百本以上每本五〇元

②佛的本生故事(一)
定價一〇〇元一次訂購百本以上每本五〇元

③佛化弟子的故事
定價一〇〇元一次訂購百本以上每本五〇元

④地藏菩薩本願經淺譯
定價一五〇元一次訂購五〇本以上每本八〇元

⑤妙法蓮華經觀世音菩薩普門品
定價一五〇元一次訂購五〇本以上每本八〇元

⑥法句譬喻經今譯淺說
定價一五〇元一次訂購五〇本以上每本八〇元

⑦藥師琉璃光如來本願功德經淺譯
定價一五〇元一次訂購五〇本以上每本八〇元

⑧佛說阿彌陀經淺譯　精裝本
定價二〇〇元一次訂購五〇本以上每本一〇〇元

⑨繪圖孝淫果報錄
定價一〇〇元一次訂購百本以上每本五〇元

⑩護生的故事(蓮池大師放生文圖解)
定價一五〇元一次訂購五〇本以上每本八〇元

⑪惜字的故事(附青少年福智十善法)
定價一〇〇元一次訂購百本以上每本五〇元

⑫佛教聖眾因緣集　精裝本
定價二〇〇元一次訂購五〇本以上每本一〇〇元

(12—1)佛教聖眾因緣集　錄音帶
一套四卷定價三〇〇元十套以上每套二〇〇元

⑬歷代高僧居士的故事　精裝本
定價二〇〇元一次訂購五〇本以上每本一〇〇元

⑭善財童子五十三參　精裝本
定價二〇〇元一次訂購五〇本以上每本一〇〇元

⑮孝悌百喻故事
定價一五〇元一次訂購五〇本以上每本八〇元

⑯六祖壇經白話淺譯
定價二〇〇元一次訂購五〇本以上每本一〇〇元

福智書香樂園

①十善法童話故事
定價一〇〇元一次訂購百本以上每本四〇元

②父母恩重難報經
定價一〇〇元一次訂購百本以上每本四〇元

③百喻經上集
定價一〇〇元一次訂購百本以上每本四〇元

④百喻經中集
定價一〇〇元一次訂購百本以上每本四〇元

⑤百喻經下集
定價一〇〇元一次訂購百本以上每本四〇元

⑥了凡叔叔說故事(了凡四訓)
定價一〇〇元一次訂購百本以上每本四〇元

⑦護生畫集
定價一〇〇元一次訂購百本以上每本四〇元

法藏叢書

①淨心誡觀法（道宣法師）………………………………………… 40 元
②四分律比丘戒相表記（弘一大師著）……………………………… 150 元
③四分律比丘尼戒相表記（弘一大師著）…………………………… 150 元
④毘尼作持要錄（慈舟法師著）……………………………………… 50 元
⑤四分律藏（上中下共三冊）…………………………………………1000 元
⑥重治毘尼事義集要（蕅益大師著）………………………………… 350 元
⑦四分律羯磨疏濟緣記（共三冊）……………………………………1400 元
⑧四分律含註戒本疏行宗記（共三冊）………………………………1400 元
⑨四分律行事鈔資持記（共四冊）……………………………………1600 元
⑩禪林寶訓筆說（25K 精裝本）……………………………………… 250 元
⑪淨土五經（16K 標點注音精裝本，百本以上單價 175 元）……… 250 元
⑫維摩詰所說經（16K 注音版精裝本，百本以上單價 175 元）…… 250 元
⑬五戒相經箋要（蕅益大師著・弘一大師補釋）…………………… 50 元
⑭大方廣佛華嚴經（16K 八十華嚴全七冊）…………………………2500 元
⑮佛說無量壽經講義（25K 最新修定排版精裝本釋性梵著）……… 300 元
⑯大佛頂首楞嚴經講記（25K 精裝本海仁法師講）………………… 300 元
⑰隨機羯磨淺釋（釋妙因述）………………………………………… 100 元
⑱四大名山志（25K 精裝本印光大師修訂）………………………… 500 元
⑲大智度論（印順法師標點・妙蓮法師校對 ,25K 精裝本共 5 冊）…1200 元
⑳大佛頂首楞嚴經（16K 精裝本典藏版，重新標點注音）………… 400 元
㉑地藏菩薩本願功德經（百本以上單價 70 元）…………………… 150 元
㉒佛遺教三經（16K 精裝本百本以上單價 50 元）………………… 100 元
㉓觀世音菩薩普門品（故宮彩色古畫折疊本 ,50 本以上單價 200 元）… 300 元
㉔九品蓮圖（32K 彩色版）…………………◉百本以上單價 12 元

㉕朝暮課誦本（64K 注音版）…………………………◉百本以上單價　12元

㉖佛說萬佛名經（16K 精裝本典藏版）………………………… 500元

㉗華嚴四品（16K 精裝注音版，百本以上單價 70 元）………………… 150元

㉘佛說阿彌陀經・觀世音菩薩普門品（百本以上單價 50 元）………… 100元

㉙金剛般若波羅蜜經（16K 注音版精裝本，百本以上單價 50 元）……… 100元

㉚妙法蓮華經（16K 精裝本典藏版，重新標點、注音）……………… 400元

㉛藥師琉璃光如來本願經（16K 注音版精裝本，百本以上單價 50 元）…… 100元

㉜大方廣圓覺修多羅了義經（16K 注音版精裝本，百本以上單價 70 元）…… 150元

㉝華嚴經疏論纂要（25K 精裝本共十大册）………………………… 2500元

㉞地藏十輪經（16K 精裝本典藏版，重新標點、注音）……………… 400元

㉟金剛經講義（25K 精裝本，重新排版，江味農著）………………… 350元

㊱金剛經講錄（25K 道源長老講述，百本以上單價 60 元）……………… 100元

㊲金剛經持驗錄（百本以上單價 50 元，25K 平裝本）………………… 100元

㊳宗鏡錄（永明延壽禪師著，100 卷 25K 精裝本最新標點排版共 5 册）……… 1200元

㊴優婆塞戒經（25K 精裝本最新標點排版）………………………… 200元

㊵楊仁山居士遺著（*25K* 精裝本，金陵刻經處木刻版）……………… 350元

㊶大乘入楞伽經（實叉難陀譯本，25K 精裝本，最新標點排版）………… 200元

㊷地藏菩薩靈驗事蹟（百本以上單價 50 元，25K 平裝本）……………… 100元

㊸大寶積經（全六册，木刻版，32K 精裝本）………………………… 1500元

㊹安樂妙寶（范古農編）………………………………………… 40元

㊺生命的重建（百本以上單價 40 元，25K 平裝本）…………………… 100元

㊻占察善惡業報經暨行法（25K 精裝注音版，重新標點排版）……… 150元

㊼梵網經《上下卷》（25K 精裝典藏版，最新標點排版）……………… 150元